GUíA DE LIBROS
RECOMENDADOS PARA
NIÑOS Y JÓVENES 215

Lectura y elaboración de reseñas

Comité Lector IBBY México/A leer

Felipe de Jesús Ávalos Gallegos
Dinoradh Elizabeth Corrales Millán
Marta Llorens Fabregat
María Antonieta Medina Aguilera
Norma Romero Ibarrola
Ana Luisa Tejeda Córdova
María Cristina Vargas de la Mora

Ilustración de cubierta
Carlos Pellicer López

Diseño
Paola Zorrilla Drago

**Apoyo bibliográfico y
digitalización de portadas**
Adriana Arzate Martínez

Edición
Adriana González Méndez

Primera edición:
La presentación y disposición en conjunto de la *Guía de libros recomendados 2015* son propiedad de la Asociación para Leer, Escuchar, Escribir y Recrear, A.C., (IBBY México/A leer). Ninguna parte de esta obra puede ser reproducida o transmitida por cualquier medio sin consentimiento por escrito del editor.

Coedición: Consejo Nacional para la Cultura y las Artes- Dirección General de Publicaciones/ Asociación para Leer, Escuchar, Escribir y Recrear, A. C.

D.R. 2014, Consejo Nacional para la Cultura y las Artes
Dirección General de Publicaciones
Av. Paseo de la Reforma 175,
Col. Cuauhtémoc,
C.P. 06500, México, D.F.
www.conaculta.gob.mx

D.R. IBBY México/A leer 2014
Asociación para Leer, Escuchar, Escribir y Recrear, A.C.
Goya 54, Col. Mixcoac, C.P. 03920, México, D. F.
Teléfonos: 5563-1435/ 5211-0492/ 52110427/ 5211-9545
www.ibbymexico.org.mx
ibbymexico@ibbymexico.org.mx

ISBN: 978-607-516-636-0

Impreso y hecho en México

Guía de libros recomendados para niños y jóvenes
2015

A leer
IBBY MÉXICO

SEP
SECRETARÍA DE
EDUCACIÓN PÚBLICA

CONACULTA
DIRECCIÓN GENERAL
DE PUBLICACIONES

CANIEM
CÁMARA NACIONAL
DE LA INDUSTRIA
EDITORIAL MEXICANA

FUNDACIÓN MEXICANA
PARA EL FOMENTO
DE LA LECTURA

Agradecimientos

- A Ricardo Cayuela y Julio Trujillo de la Dirección General de Publicaciones del Consejo Nacional para la Cultura y las Artes, por hacer posible la edición de esta guía.

- A los miembros de nuestro Consejo, por su respaldo a nuestra labor.
- A Carlos Pellicer López, por la generosa donación de la ilustración de portada.

A las siguientes editoriales, por su desinteresada contribución:

Alfaguara	Ediciones del lirio	Juventud	Palíndromo
Artes de México	Ekaré	Kalandraka	Panamericana
Axial	Everest	La Caja de Cerillos	Petra
Barbara Fiore	Factoría K	La valija de fuego	Piedra Santa
Callis	de Libros	Libros Para	Planeta
Castillo	Fondo Editorial	Imaginar	Siruela
CEPLI	del Estado	Libros Para Soñar	SM
CIESAS	de México	Los cuatro azules	Takatuka
CIDCLI	Fondo de Cultura	El Naranjo	Tándem
Colofón	Económica	Norma	Tecolote
Comunicarte	Fondo Editorial	Nostra	Textofilia
Corimbo	Libros para Niños	Océano	Thule
Edebé	ideazapato	Océano Travesía	Tres abejas
Edelvives	Intermón Oxfam	Octaedro	

IBBY México/A leer

Consejo Directivo

Bruno Newman
PRESIDENTE
Felipe García Fricke
TESORERO
Paola Dada
SECRETARIA

Jessica Alemán
Iker Arriola
María Elena Castro
César Costa
Marisol Fernández
Mónica Graue
Sissi Harp
Christian Moire
Alicia Molina
Leticia Navarro
Norma Romero
Ana Luisa Tejeda
Marcelo Uribe
Raúl Zorrilla

Equipo Operativo

DIRECTORA GENERAL
Azucena Galindo Ortega
direccion@ibbymexico.org.mx

Coordinaciones

BIBLIOTECA
Adriana Arzate
biblioteca2@ibbymexico.org.mx

BUNKOS
Lourdes Morán
bunkos@ibbymexico.org.mx

COMITÉ LECTOR
Adriana González Méndez
publicaciones@ibbymexico.org.mx

FORMACIÓN DE MEDIADORES
Mariana Morales Guerra
formacion@ibbymexico.org.mx

FORMACIÓN EN LÍNEA
Aline de la Macorra
enlinea@ibbymexico.org.mx

NOSOTROS ENTRE LIBROS
Bertha Alicia Serrano
nel@ibbymexico.org.mx

VINCULACIÓN Y PROYECTOS
ESTRATÉGICOS
María Cristina Vargas
vinculacion@ibbymexico.org.mx

Índice general

¡GRACIAS!

Por utilizar esta *Guía*.

No tendría sentido el trabajo que hacemos si no fuera recibido por ti, con quien deseamos compartirlo. Esperamos que sea una herramienta que facilite y haga más gozosa tu relación con las novedades editoriales en particular y con los libros en general.

Nuestra labor, la de IBBY México/A leer y la tuya, padre, promotor de la lectura, estudioso o lector, en casa, en la escuela, en la biblioteca, es señalar algunas puertas de acceso a los libros, pero el lector, cualquiera que sea su edad, es quien decide entrar o no. Él es el único que sabe si le atrae un libro, si se interesa por un tema, si quiere o no seguir a un personaje, si se atreve a imaginar algo que no es, aunque pudiera ser.

Esta *Guía* tiene la única intención de ayudar a que se conozcan y promuevan más posibilidades; muchos más mundos entre los cuales, los lectores puedan elegir.

Nuestro trabajo

En IBBY México/A leer consideramos que, en el camino hacia la formación de lectores, el mediador es la pieza clave, el puente que permite el encuentro gozoso entre los libros y el lector. Por ello, formarlo y acompañarlo en su tarea se ha convertido en una misión prioritaria. Hemos enfocado nuestro trabajo –cursos, talleres, diplomados– hacia maestros, bibliotecarios, padres de familia, abuelos, jóvenes y personas deseosas de participar en la creación de comunidades lectoras.

La Biblioteca BS, ubicada en la sede de IBBY México/A leer, constituye el eje alrededor del cual giran los diversos programas de la Asociación, y la fuente de la que se nutren los mismos. Nuestra biblioteca es un espacio vivo e incluyente con servicios y materiales para las diferentes necesidades de los usuarios; es un generador de encuentros con la oralidad, la lectura y la escritura; es un lugar donde ofrecemos un amplio acervo de literatura infantil y juvenil, así como una colección especializada en temas de promoción lectora.

En las primarias públicas, el programa **Nosotros Entre Libros** ha tenido un impacto significativo en padres de familia, profesores, directivos y, sobre todo, en niños y niñas que han visto sus aulas convertidas en espacios de lectura y libertad.

En zonas con acceso limitado o nulo a libros o materiales diversos, hemos instalado pequeñas bibliotecas a las que llamamos **Bunkos**, donde mediadores capacitados y acompañados por IBBY, atienden a niños y jóvenes, en su mayoría en situación de vulnerabilidad o riesgo, y fomentan el acto de leer de manera lúdica y gozosa.

Estos y otros programas se llevan a cabo gracias al esfuerzo conjunto de IBBY con instituciones públicas y privadas; nacionales y de otros países, con el fin de que más personas se hagan dueñas de su vida, de su palabra, y que sus voces se escuchen cada vez con mayor fuerza.

La *Guía de libros recomendados para niños y jóvenes*

¿Cómo y por qué nació la *Guía*?

"¿Dónde encuentro un libro sobre gatos?" "¿Qué me recomiendan para leerle a mi hija que tiene pesadillas?" "¿Qué editorial publica aventuras de piratas?"

Durante las primeras ferias del libro infantil y juvenil, en el Auditorio Nacional, los padres y maestros se acercaban al pabellón de IBBY México para solicitar recomendaciones de libros. Los miembros de la Asociación los conducíamos a las exhibiciones de las editoriales y les mostrábamos lo que, según nuestra opinión, podría serles útil de acuerdo con sus necesidades.

A medida que los visitantes a la Feria se hicieron más y más numerosos, y la oferta editorial, cada vez más amplia, este acompañamiento se volvió inviable, así que decidimos publicar una lista de libros que pudiera apoyar a los mediadores en sus elecciones.

Ése es el origen de la *Guía de libros recomendados para niños y jóvenes*.

¿Para quién y para qué publicamos la *Guía*?

La *Guía* está dirigida a los padres, bibliotecarios, maestros, promotores de lectura que se interesan en animar a leer a los niños y jóvenes de una manera libre y plena de sentido.

Queremos estar cerca de ellos, participar en su importante labor, compartir nuestra experiencia de tantos años de lecturas en comunidad. Con esta publicación, pretendemos ofrecer opciones de lectura elegidas entre los libros que hemos leído y analizado, y que según nuestra opinión, vale la pena compartir con los niños; buscamos aportar información útil relacionada con las etapas lectoras, con títulos publicados sobre la cultura escrita, directorios especializados, recursos en línea y otros datos relevantes sobre el mundo editorial enfocado a la literatura infantil y juvenil.

¿Quién elige los libros que recomendamos en esta *Guía*?

El Comité Lector de IBBY México es el responsable de leer, discutir y seleccionar los libros que integran la *Guía*. Este Comité está formado por personas a quienes nos une la pasión por la literatura, un gusto especial por los libros para niños, el deseo de pertenecer a una comunidad en la que podamos reflexionar juntos sobre los diversos aspectos de una obra, y el entusiasmo por compartir las lecturas que nos conmueven y nos significan.

¿Cómo elegimos los libros? ¿En qué nos basamos para recomendarlos? Nuestro deseo es comunicar a los mediadores –padres, maestros, bibliotecarios– cuáles son las obras que hemos considerado más valiosas, conmovedoras, sorprendentes, imaginativas, divertidas o gozosas, y las que han suscitado discusiones, reflexión y diálogo a lo largo de un año de lecturas.

- Para valorar cada libro, lo contemplamos como una totalidad. En las obras literarias, consideramos la belleza y claridad del lenguaje, la solidez de su estructura, el suspenso que nos mantiene en vilo, el humor y el juego que nos hacen reír, la inteligencia de sus planteamientos, la capacidad de conmovernos y de evocar sentimientos profundos, el poder de mostrar el valor y la complejidad de la vida humana. En fin, apreciamos la fuerza de la obra para expresar sentido.

- Recomendamos textos informativos y científicos que nos aclaran dudas, y, sobre todo, que generan preguntas, que despiertan nuestra curiosidad e interés por el conocimiento. Elegimos libros que nos llevan a otros libros, y también a otros lugares, momentos, situaciones, relaciones...

- También tomamos en cuenta la ilustración, porque la entendemos como un factor importante para construir el significado de la obra. Nos fijamos cómo las imágenes crean atmósferas que nos introducen hasta el fondo de la historia, cómo logran despertar nuestras emociones o detonar en nosotros nuevas ideas, cómo interpretan el texto más allá de lo que dice literalmente. Reconocemos la originalidad, belleza y armonía con que recrean nuestra mirada y nos enseñan a apreciar el arte.

- El cuidado de la edición y la propuesta es un factor en el que ponemos mucha atención. El material, el diseño, la tipografía, la escritura correcta, la firmeza, la durabilidad; todos esos aspectos que hacen sentir al libro como un objeto acogedor y fácil de hacer nuestro.

- Una selección siempre es incompleta y subjetiva

- En esta publicación pretendemos *sugerir* algunas opciones de lectura adecuadas para niños y jóvenes. Nuestra propuesta abarca gran parte de la oferta editorial actual, aunque sabemos que en una Guía no agotamos el universo completo de publicaciones, que es siempre cambiante y a veces esquivo.

- Por otro lado, los criterios para elegir un libro, como los criterios para elegir un amigo, son siempre –y por fortuna– subjetivos. Estamos conscientes de que en esta elección influyen nuestros gustos, ideas, necesidades, sentimientos, experiencias, afinidades e historias personales. Aunque es nuestra propia experiencia de trabajo con los libros para niños y jóvenes la que determina, en conjunto, nuestra elección.

- Siempre agradecemos poder nutrirnos de las opiniones de otros críticos, de mediadores y bibliotecarios, de investigadores y teóricos que estudian la literatura y la educación; por eso trabajamos en equipo, para multiplicar las miradas, los enfoques, las vivencias. Así, el juego se vuelve más rico y tiene cabida el diálogo, las diferencias y el encuentro, de manera que podamos ofrecer una selección más equilibrada y certera.

¿Cómo utilizar esta *Guía*?

Los apartados de la *Guía*

Existen cuatro apartados que corresponden a las etapas lectoras. Cada uno de ellos comienza con una introducción acerca de las características de los niños que consideramos más representativas en esa etapa y del tipo de libros y temas que suelen interesarles. Después, incluimos los títulos recomendados, clasificados en dos secciones distintas: libros literarios e informativos.

Para facilitar la elección, presentamos la ficha bibliográfica, un resumen del argumento o tema, y un breve comentario sobre lo que valoramos de la obra.

También ofrecemos información adicional: una sección con lecturas que pueden ser útiles a los padres, maestros, bibliotecarios y promotores de lectura; un directorio de editoriales, distribuidoras, bibliotecas y librerías; datos sobre publicaciones periódicas y recursos en línea relacionados con la literatura infantil y juvenil.

Finalmente, incluimos un apartado donde aparecen los distintos ganadores de tres de los premios más representativos de la literatura infantil y juvenil y una breve historia de los mismos para que puedan conocer sus nombres y, posteriormente, si es que la curiosidad lo propicia, su obra.

Los índices

Para facilitar la búsqueda de un libro específico, al final de la *Guía* incluimos cuatro índices diferentes: por título, por autor, por ilustrador y por tema.

■ Por título

Si conocemos el título de una obra, podemos averiguar en este índice si el libro está recomendado en la Guía, y con el número, podemos ubicarlo y conocer el tema, el argumento, el autor y la editorial que lo publica.

■ Por autor

Algunas veces, cuando hemos leído un libro que nos conmovió o nos entusiasmó, queremos conocer más títulos del mismo escritor. Este índice nos sirve para saber si en la Guía podemos encontrarlas.

■ Por ilustrador

Lo mismo sucede con las imágenes de un ilustrador que nos ha cautivado. Buscamos su nombre en el índice, y averiguamos si algunos de sus obras aparecen reseñadas en la Guía.

■ Por tema

Si queremos acompañar a un niño interesado en una cuestión particular, o que está atravesando por una situación difícil, o vive una experiencia que quisiera entender mejor, podemos encontrar el asunto en el índice, y explorar los libros que tratan sobre él.

Iconos

Las siguientes imágenes ofrecen información adicional:

 Es de nuestros favoritos.

 Autores mexicanos.

 No se encuentra en el mercado. Puede consultarse en la Biblioteca BS de IBBY México/A leer

LOS MÁS PEQUEÑOS

LOS MÁS PEQUEÑOS

Esta etapa es la que presenta los cambios más profundos y determinantes en la vida. No es aventurado afirmar que el camino lector comienza cuando el niño está aún en el vientre de su madre. Ahí tiene el primer contacto con el lenguaje, los rumores que escucha le servirán, después del nacimiento, para reconocer las voces familiares y para establecer vínculos con quienes lo rodean.

Poco a poco, a medida que los integrantes de su entorno cotidiano le hablan y colocan las palabras en un contexto, el bebé irá encontrando en los sonidos que escucha la existencia de un código que le permitirá nombrar y ordenar su mundo, que le revelará sentimientos, deseos, aspiraciones propias y de otros. Este portentoso hallazgo será el cimiento de la evolución de su pensamiento y su emotividad.

Los cantos, juegos y nanas con las que es arrullado son la iniciación a una cultura y a una tradición; son la puerta al terreno de la poesía, el primer contacto con la literatura. El ritmo, la melodía, la entonación de la voz que le canta y le cuenta, despierta en el pequeño curiosidad y gusto por el lenguaje, así se ensancha su percepción de la realidad y la posibilidad de integrarse a ella.

Compartir los libros dispone a los pequeños para comprender poco a poco las convenciones de la literatura y para entrar a ese espacio donde se puede ser otro sin dejar de ser uno mismo. Las narraciones antiguas y las actuales, contadas una y otra vez, han construido a lo largo de la historia, ese universo emocionante y significativo al que se van incorporando los niños y las niñas desde los primeros días de su vida.

Los mejores libros para los más pequeños son aquéllos que los incitan a moverse, tocar, mirar, preguntar, sonreír y están construidos de tal manera que los ayudan a comprender formas literarias cada vez más complejas, iniciando con situaciones conocidas narradas con frases breves que se repiten rítmicamente.

Libros que cuentan acciones que se desarrollan en una sencilla secuencia de tiempo y muestran detalles de causalidad. Libros de poemas que invitan a la representación con el cuerpo, a cantar, a bailar, juegos de la tradición oral, retahílas, adivinanzas, disparates...

LITERARIOS

1

¡Beso, beso!

Bebé Hipopótamo sale del estanque para jugar. Corre alegre y en su camino se encuentra con mamás y crías que se despiden con un beso. Es entonces cuando cae en la cuenta de que olvidó despedirse de su madre.

Este sencillo relato, con un ritmo pegajoso y juguetón, resalta la importancia de los mimos y muestras de cariño entre padres e hijos. Las tiernas y expresivas ilustraciones son adecuadas para niños pequeños.

Wild, Margaret
Il. Bridget Strevens-Marzo
Barcelona/ Caracas: Ekaré, 2012
Págs. 32

Temas: Amor. Animales

2

¡A comer!

Un perruno paseo a la hora de la comida, permite a su protagonista percibir los más variados aromas. A través de su fino olfato distingue suculentos platillos entre panes, sopas y pizzas, hasta que encuentra entre todos ellos, aquél que le corresponde y espera en casa.

Libro en cartoné que cuenta una sencilla historia, apoyándose en coloridas formas que evocan diversos alimentos.

Kitamura, Satoshi
Il. Satoshi Kitamura
México: FCE, 2013
Págs. [16]

Temas: Comida. Animales. Sentidos.

3

Browne, Anthony
Il. Anthony Browne
Trad. Mariana Mendía
México: FCE, 2013
Col. Los Especiales de A la
Orilla del Viento
Págs. [26]

¿Cómo te sientes?

A veces me siento enojado y puedo estallar; otras veces estoy tan confiado que camino entre las nubes, o tan tímido que no puedo decir una sola palabra; a veces me siento solo o aburrido, incluso triste, pero por lo regular me siento feliz. Sobre todo cuando estoy muy satisfecho, ¿y tú cómo te sientes?

Un original y novedoso muestrario que podría permitir a los pequeños lectores conocerse mejor y comunicar lo que sienten.

Temas: Emociones. Vida cotidiana.

4

Johnson, Crockett
Il. Crockett Johnson
Trad. María Candelaria Posada
México: Editorial Santillana,
2013
Col. Nidos para la lectura
Págs. 68

El cuento de hadas de Harold

"Una noche, Harold bajó de su cama, tomó su crayón morado y se fue con la luna a dar un paseo por un jardín encantado" En su camino, el pequeño se topa con una ratón, con una bruja, con un rey…

Un libro atractivo para los pequeños. Las soluciones creativas que tiene el protagonista ante los diferentes obstáculos con que se encuentra, sirven de inspiración por su inventiva y creatividad.

Temas: Fantasía. Creatividad.

5

Leroy, Jean
Il. Maudet, Matthieu
Trad. Segovia, Rafael
México: Océano Travesía, 2011
Págs. [28]

Hambre de ogro

Los ogros siempre tienen un carácter muy difícil de tratar, no importa si eres un villano o un niño. Sobre todo, hay que tener cuidado cuando nada parece saciar su hambre.

Este libro-álbum en cartoné es para pequeños que no temen leer historias sobre "los malos" del cuento, pues a veces no son tan peligrosos como se piensa y también pueden compartir los miedos.

Temas: Cuentos clásicos. Hábitos. Vida cotidiana.

6

Tullet, Hervé
Il. Hervé Tullet
México: Océano Travesía, 2013
Págs. [16]

Juego del campo

Árboles, animales y el mar son parte de los diferentes escenarios de este paseo por el campo visto de día y de noche.

Una ventana que invita al lector a crear historias conforme avanza o simplemente adentrarse y observar cada una de sus coloridas páginas troqueladas. Un viaje interactivo a través de diferentes escenas en el que la creatividad y la imaginación del niño son estimuladas.

Temas: Naturaleza. Familia. Animales.

Martín y la luna

Un día, Martín descubre la luna afuera de su casa y teme que lo culpen de haberla robado. Sin querer se ven involucrados Erick, Ramón y una banda de ratoncitos. ¿Cómo podrán evitar la cárcel?

Las ilustraciones realistas y en duotono de esta obra proponen una estética infantil muy bella y poco convencional. La trama fomenta la imaginación y transmite plenamente los sentimientos de Martín y el resto de los personajes gracias a la expresividad gráfica del álbum.

Meschenmoser, Sebastian
Il. Sebastian Meschenmoser
Trad. Lidia Tirado
México: FCE, 2014
Col. Los Especiales de A la Orilla del Viento
Págs. [44]

Temas: Miedo. Imaginación. Amistad.

Martín y la primera nevada

Ni Martín, la ardilla, ni sus amigos conocen la nieve, así que, en vez de hibernar, deciden quedarse despiertos para ver caer los copos "fríos, blancos, húmedos y suaves". Cada uno los imagina a su manera… hasta que cae la primera nevada.

Libro álbum en que el fino humor despliega un juego muy divertido entre el texto y las delicadas y expresivas ilustraciones que ofrecen al lector una experiencia deliciosa.

Meschenmoser, Sebastian
Il. Sebastian Meschenmoser
Trad. Margarita Santos Cuesta
México: FCE, 2013
Col. Los Especiales de A la Orilla del Viento
Págs. [64]

Temas: Humor. Invierno. Nieve. Imaginación.

9

¡Más te vale, Mastodonte!

Chirif, Micaela
Il. Issa Watanabe
México: FCE, 2014
Col. Los Especiales de A la
Orilla del Viento
Págs. [44]

Un pequeño tiene un enorme mastodonte en casa. Por más que le pide que tienda su cama, que haga la tarea, que se bañe… el enorme mastodonte siempre contesta un enorme ¡NO!, hasta que se ve obligado a gritarle a todo pulmón "¡Más te vale Mastodonte!"

Ingenioso relato que retrata a esa bestia que, desde la niñez, se lleva dentro. Las diversas técnicas de las artísticas ilustraciones, invitan a mirar detenidamente cada página.

Temas: Temperamento. Humor. Disciplina

10

Pero papá...

Lavoie, Mathieu
Il. Marianne Dubuc
Trad. Élodie Burgeois
Barcelona: Editorial
Juventud, 2013
Págs. [36]

"¡Buenas noches, monitos!" dice papá, y los hijos responden: "Pero papá, ¡te olvidas de los pijamas!", y de los muñecos, el beso, los vasos de agua, la luz quitamiedos y cualquier cosa que retrase el momento de ir a dormir.

Simpática retahíla, ilustrada con gracia y humor, copia exacta de ese momento en que los niños encuentran los más variados recursos para entretener a los padres y alargar el día.

Temas: Humor. Hábitos. Familia.

11

Poka & Mina

Crowther, Kitty
Il. Kitty Crowther
Trad. Raquel López
Madrid: Los cuatro
azules, 2010
Págs. [36]

Mina despierta temprano y agita las alas entusiasmada por el nuevo día. Insiste en despertar a Poka y animarlo a salir de la cama. Por fin, después de muchos preparativos, salen de casa, van al estanque y ahí...

Este libro encantador muestra un agudo conocimiento de la exaltación de los niños al experimentar la vida. Las expresivas imágenes logran crear una atmósfera luminosa y contagiar los sentimientos de los personajes.

Temas: Emociones. Juegos. Vida cotidiana.

12

¿Qué viene después de mil? Un cuento ilustrado sobre la muerte

Bley, Anette
Il. Anette Bley
Trad. Anna Soler
Barcelona: Takatuka Virus
editorial, 2009
Págs. 32

Lisa y Otto, un viejo jardinero, disfrutan tirando piedras, contando lo que encuentran alrededor, observando el cielo. Un día, Otto enferma y ya no puede salir al campo.

La cuidada edición de este libro enmarca un relato entrañable sobre la amistad, narrado en un tono poético e íntimo. El tratamiento del tema de la muerte es sereno, suave, tranquilizante, y las elegantes ilustraciones aportan una atmósfera perfecta para la historia.

Temas: Amistad. Muerte. Duelo.

13

Gedovius, Juan
Il. Juan Gedovius
México: Editorial Santillana, 2014
Págs. [28]

Un rectángulo dormido

"Un rectángulo dormido. Dos óvalos conversantes. Tres triángulos paseadores. Cuatro cuadros comequeso. Cinco pentágonos escurridizos…"

Libro con sencillas y divertidas láminas, en las que conviven y se conjugan formas geométricas y animales. Una progresión multicolor cuyos detalles hacen referencia a los números. El lector identifica a cuál o a cuáles seres, se hace referencia en cada una de las páginas.

Temas: Números. Formas geométricas.

14

Ruiz Johnson, Mariana.
Il. Mariana Ruiz Johnson
México: Ediciones Castillo, 2013.
Col. Castillo de lectura.
Serie Amarilla
Págs. [32]

Tengo un oso

Desde su cautiverio en el zoológico, un oso relata aspectos de su lugar de origen: alimento fresco; verdes y soleadas veredas; agua abundante y limpia en la cual bañarse. Sin embargo dichos detalles, ¿son revelados por el peludo personaje o por la imaginación del alma infantil que lo visita en el parque?

Expresivas imágenes adentran al lector en un ambiente de añoranza y una conmovedora historia sobre la comprensión.

Temas: Libertad. Empatía. Imaginación.

15

Ravishankar, Anushka
Il. Pulak Biswas
Trad. Jorge González
Batlle y Aloe Azid
Barcelona: Thule
Ediciones, 2005
Págs. 48

Tigre Trepador

Unos cazadores se sorprenden al ver a un tigre trepar a un árbol. Construyen una valla, lo quieren cazar, lo quieren llevar al zoológico, pero alguien, por fortuna, grita: "Dejémoslo ir"

Un libro álbum realizado artesanalmente con ilustraciones alusivas a las pinturas rupestres y que acompañan oportunamente a un sencillo texto en el que se muestra que en algunas ocasiones bastan las pocas palabras de un solo hombre para que impere la razón.

Temas: Animales. Respeto a la vida.

16

Maudet, Matthieu
Il. Matthieu Maudet
Trad. Paulina de Aguinaco
México: Océano Travesía,
2014
Págs. 24

¡Voy!

Un pequeño pajarito ha decidido "ir", por fin. Es una larga y ardua travesía, por eso su mamá le da un suéter, su papá una lámpara, su abuelo una gorra, su abuela galletas, la ardilla un paraguas, una pequeña amiga su libro… Es un viaje largo, ¿logrará llegar?

Decidirse a dejar el pañal es una travesía. En este libro álbum, el proceso resulta todo una aventura divertida y sorprendente.

Temas: Hábitos. Vida cotidiana.

17

Yo también

Winter, Susan
Il. Susan Winter
Barcelona/Caracas: Ekaré,
2013
Págs. [30]

Un niño sigue el ejemplo de su hermano mayor y gusta de imitar las actividades que él realiza; eso sí, lo hace muy a su estilo y posibilidades.

Las ilustraciones de este libro, cuya calidad las dota de una gran elocuencia, dan cuenta de la relación entre dos hermanos, el tiempo que pasan juntos y lo que uno aprender del otro.

Temas: Hermanos. Juegos. Relaciones familiares.

Los que
Empiezan a Leer

Los que Empiezan a Leer

En esta etapa, el niño y la niña tienen curiosidad por todo lo que les rodea, investigan el porqué de las cosas, cómo funcionan y para qué. Su centro de interés pasa de la familia al grupo de iguales, empiezan a participar en diversas actividades y necesitan ser aceptados por los amigos.

Les encantan los cuentos, pues su sentido de la narración se ha desarrollado y su imaginación es más rica y compleja. Les gusta jugar con las palabras, descubrir e inventar vocablos nuevos.

En cuanto conocen las primeras letras, se entusiasman por leer todo lo que está escrito: anuncios, marcas conocidas, su propio nombre. Esa emoción, si los ayudamos a mantenerla viva, sostendrá el gran esfuerzo que supone aprender a descifrar el lenguaje escrito pues, independientemente del método de enseñanza que se utilice, será para ellos una tarea difícil y a veces desesperante.

Como lectores experimentados no nos damos cuenta de la manera en que captamos el sentido del texto, prácticamente de un golpe de vista; en cambio, el pequeño tiene que ir recorriendo letra por letra, para luego unirlas en palabras o en frases, y en ese tiempo interminable, el significado se le escapa y el gusto también.

Por eso, en este periodo, requiere más que nunca nuestra compañía comprensiva y paciente, y necesita que le sigamos leyendo las historias que tanto le gustan, pero a las que todavía no puede acceder por su cuenta.

Leerle en voz alta no suple su esfuerzo, más bien lo anima a practicar la lectura, empezando por libros sencillos, con textos breves y claros, con ilustraciones que le ayuden a comprender la trama, para luego poder pasar, poco a poco, a otros más complejos.

Los rituales íntimos en que compartimos un libro no deben abandonarse; los textos que les leemos por el solo placer de estar juntos fortalecerán su relación gozosa y permanente con la lectura.

LITERARIOS

18   3 deseos para el señor Pug

El Señor Pug, un perro malhumorado, se levanta muy tarde por la mañana y se da cuenta de que no tiene leche, ni cereal, ni café y, para colmo, la lluvia moja su periódico. Cuando cree que todo está mal, aparece un hada que le concede tres deseos.

Meschenmoser, Sebastian
Il. Sebastian Meschenmoser
Trad. Rocío Aguilar Chavira
México: FCE, 2013
Col. Los Especiales de A la Orilla del Viento
Págs. [44]

Cuento breve con divertidas ilustraciones que muestra que los deseos más simples siempre son motivo de alegría y satisfacción.

Temas: Vida cotidiana. Deseos.

19   A, B y C. La primera lección

En la nueva escuela, A siente que el pasillo no acaba nunca, B no quisiera estar en el enorme patio, C llega retrasado. En clase, les toca trabajar en equipo, y después de encontrarse, la escuela ya no es la misma.

De manera original y atractiva, el libro describe el primer día de clases de tres niños. El manejo del color en las ilustraciones refleja el ánimo de los personajes.

Heredia Caamaño, Jesús
Il. Abraham Balcázar Rodríguez
México: Axial/ Colofón, 2010
Col. Historias para descolgar
Págs. [36]

Temas: Escuela. Amistad. Primer día de clases.

20

Ramos Revillas, Antonio
Il. Rosana Mesa Zamudio
México: Ediciones El naranjo/
Conaculta, 2013
Págs. [38]

Mi abuelo el luchador

El abuelo Ignacio, luchador profesional, es "imponente como un edificio", capaz de aplicar su llave maestra a veinte adversarios para dejarlos enredados, y de vencer hombres lobo y vampiros. Pero su mayor combate, librado siendo niño, es el que le enseñó a utilizar estrategias precisas para cada contendiente.

Encantadora historia cuyo final transforma el concepto del lector sobre el protagonista. Contundentes ilustraciones introducen al ambiente fantástico de la lucha libre.

Temas: Lucha libre. Abuelos. Humor. Amor.

21

Chapela, Luz
Il. Rodrigo Vargas
México: Editorial 3 Abejas,
2013
Págs. 22

Ahora ¡Abracadabra!

Un mono corre por la selva. Huye de las flechas del cazador; trepa a una rama y viaja por las copas de los árboles, las flechas zumban. El pequeño mono se esconde entre la frondosa vegetación, siente el cuerpo pesado, el cielo se insinúa entre las ramas, mira hacia arriba y ve una infinita posibilidad de escapar.

Un relato sobre la redención, cuyas evocadoras ilustraciones crean un ambiente que provoca temor y esperanza a la vez.

Temas: Supervivencia. Animales.

22

El artista que pintó un caballo azul

Carle, Eric
Il. Eric Carle
Trad. Chema Heras
Pontevedra: Kalandraka, 2012
Col. Libros para soñar
Págs. [28]

"Soy artista y pinto un caballo azul, un cocodrilo rojo, una vaca amarilla […] y un burro de colores […]"

Ilustraciones inspiradas en el tiempo de guerra y conflicto que se vivió hace setenta años, en donde la creación de arte moderno, abstracto y expresionista estaba prohibido en la Alemania Nazi. Homenaje al precursor del expresionismo Franz Marc; recuerda que la imaginación y romper con lo establecido conduce a la libertad creativa.

Temas: Animales. Arte. Creatividad.

23

Los besos de Hércules

Piñero, Clara
Il. Rocío Martínez
Barcelona: Thule Ediciones, 2013
Col. Acervo
Págs. 32

Hércules, hijo del rey de los dioses, posee una fuerza extraordinaria. En una ocasión, después de discutir con Mégara, su mujer, sale de pesca y de tan malhumorado que está, arroja la red con tal coraje, que atrapa a la luna sin percatarse; es entonces que Mar y Luna se encuentran en amorosos besos de espuma.

Un mito bellamente ilustrado, inspirado en los dibujos de la cerámica griega.

Temas: Mitología. Amor. Arte.

24

Mi bicicleta es un hada y otros secretos por el estilo

"Mi bicicleta destartalada,/ desarrapada,/ desaceitada,/ desafinada,/ desajustada,/desconchinflada,/es un hada./Lo descubrí esta mañana. /(Por favor, no me pregunten cómo: le prometí no contar nada)."

Rodríguez, Antonio
Orlando
Il. Esperanza Vallejo
Bogotá: Panamericana
Editorial, 2001
Págs. 68

Por su ingenio y soltura, estos poemas y versos libres son una agradable puerta para que niños y niñas inicien su recorrido en el mundo de la poesía.

Temas: Ingenio. Poesía.

25

Mi boa Bob

Un padre le da un exótico regalo a su hijo el día de su cumpleaños: una boa, pero no una boa común y corriente, sino una que sabe escribir; forma palabras con su largo cuerpo, y no sólo eso, tiene un gran sentido del humor.

Siegel, Randy
Il. Serge Bloch
Barcelona: Editorial
Juventud, 2013
Págs. 40

Trazos espontáneos, plastas que salen de los contornos y un relato desparpajado que transgrede la realidad, hacen de este libro un motivo para sonreír.

Temas: Mascotas. Humor.

26

Boris. Un compañero nuevo en la escuela

Weston, Carrie
II. Tim Warnes
Trad. Ana Wilion
Buenos Aires: Grupo Editorial Norma, 2012
Col. Buenas Noches
Págs. [32]

Los alumnos de la señorita Clueca esperan contentos al nuevo alumno, pero cuando entra Boris, gritan del susto y luego, hacen lo posible por excluir de sus juegos y actividades al oso peludo y tenebroso. Hasta que…

El miedo a lo diferente se plantea con humor y desde la perspectiva de todos los personajes, lo cual permite entender mejor la situación. Juguetonas ilustraciones enriquecen la historia y la vuelven cercana.

Temas: Exclusión. Diferencias. Humor.

27

Canciones del colibrí

Ruiz Johnson, Mariana
(Selección)
II. Mariana Ruiz Johnson
México: Ediciones Castillo, 2014
Págs. 40

"Este torito que traigo, / lo traigo desde Tenango, / y lo vengo manteniendo / con cascaritas de mango".

Selección de rimas provenientes de varios países de América Latina, bellamente ilustrados con un estilo capaz de integrar los elementos de distintas culturas en un solo concepto visual. La adaptación, aunque mínima, es igualmente oportuna, ya que permite dilucidar el sentido de vocablos regionales mediante el contexto, convirtiéndola en una lectura ligera y amena.

Temas: Coplas populares. Identidad.

28 El carnaval de los animales

"Aquel era un día muy especial. Bajo un sol espléndido […] se ultimaban los detalles para la celebración del cumpleaños del León, el rey de los animales […]"

Abad Varela, José Antonio
II. Joao Vaz de Carvalho
Pontevedra: Kalandraka, 2013
Págs. 36

El musical de Camille Saint-Saëns da pie a esta humorística edición de catorce piezas breves que amenizan a toda la fauna en su llegada a la celebración. Originales ilustraciones acompañan este libro-disco que podrá ser disfrutado escuchando la música de la Academy of London.

Temas: Animales. Convivencia. Música.

29 Como pez en el agua

A Sebastián le encanta todo lo relacionado con el agua. Se alegra con los días nublados –promesa de lluvia–, y le fascina nadar. Sueña con romper todas las marcas en los Juegos Olímpicos. Adora a tal grado sumergirse y mojarse, que ha decidido que lo llamen "Océano".

Nesquens, Daniel
II. Riki Blanco
Barcelona: Thule Ediciones, 2007
Col. Trampantojo
Págs. [36]

Sencilla historia que con metafóricas y evocadoras ilustraciones, pone en jaque algunos prejuicios acerca de las limitaciones en las personas.

Temas: Aptitudes. Discapacidad. Libertad. Inclusión.

30

Corre, pequeño gorrión

Weninger, Brigitte
Il. Anna Anastasova
Trad. Christine Scheurer y
Teresa Farran Vert
Barcelona: Editorial
Juventud, 2012
Págs. [14]

Un joven gorrión vive feliz en el bosque; gusta del sol, los árboles, la comida y de la compañía de su amigo el ratón, con el que comparte juegos y charlas. Un día se ve presa de una tormenta, la cual cambiará su existencia de forma contundente.

Historia que aborda temas como los accidentes y la discapacidad desde un punto de vista sencillo, con un estilo sensible y filosófico.

Temas: Discapacidad. Amistad. Animales.

31

Cuentos del bosque

Ruifernández, Leticia
Il. Leticia Ruifernández
Barcelona/Caracas: Ekaré,
2013
Págs. 122

Dos hermanos exploran el bosque cercano a su casa, ahí emprenden aventuras que luego comparten con sus padres. Cada nueva incursión promete interesantes experiencias y sucesos inolvidables.

El libro se compone de cuatro historias que corresponden a las estaciones del año; presenta un estilo poético sencillo y encantador. Cada relato, inteligente y sutilmente concluido, está ilustrado de forma genial por medio de acuarelas y deja con el deseo de leer más.

Temas: Naturaleza. Hermanos. Aventura.

32   El día que se comieron a Luis

Luis y Sara pasean por el bosque, de pronto aparece un gran Comilón que se traga a Luis. Sara sigue al monstruo con una estrategia para rescatar a su hermano, pero casi a punto de lograrlo aparece otra dificultad y otra más.

Fardell, John
Il. John Fardell
Trad. Pablo Manzano
Barcelona: Editorial
Juventud, 2007
Págs [26]

Un cuento de secuencias que van complicando la solución del conflicto inicial. Las ilustraciones aportan elementos ingeniosos y, junto con el texto, llevan a un desenlace con sentido del humor.

Temas: Monstruos. Valor. Ingenio.

EMPIEZAN A LEER

---

33   Doña Eremita, reina de la carretera

Eremita recibe un auto de parte del tío Cosmo. Acompañada por el fiel Mambrú, recorre, con todo su desparpajo, largos caminos y conforme avanza se van estropeando toda la carrocería: los tapones, la cajuela, el techo. Cuando el coche ya está despojado de toda indumentaria, tiene un sensacional encuentro.

Blake, Quentin
Il. Quentin Blake
Trad. Carmen Diana Dearden
Barcelona/ Caracas: Ekaré,
2013
Págs. 40

El ligero humor de Blake, refrescante para el ánimo, se ve una vez más reflejado en este divertido relato.

Temas: Humor. Amistad.

34

Minhós Martin, Isabel
Il. Bernardo Carvalho
Trad. Fátima Andreu y María Baranda
México: FCE, 2013
Col. Los Especiales de A la Orilla del Viento
Págs. [32]

¿Eres tú?

"Inés? ¿Cuál Inés?" La que perdió una bota en el recreo, la hermana de José. "¿José? ¿Cuál José?" El que buscó la bota de Inés, con Toño, en el tejado. "¿Toño? ¿Cuál Toño?"

Las respuestas van integrando rasgos particulares de un personaje tras otro, hasta que aclaran el misterio escondido en la primera pregunta. Las coloridas ilustraciones acompañan alegremente el juego y agregan algunas pistas para llegar a la solución.

Temas: Amor. Juego.

35

Meunier, Henri
Il. Nathalie Choux
Barcelona: Takatuka/ Virus editorial, 2011
Págs. [36]

¡Al furgón!

Un grupo de policías interrumpe el ambiente tranquilo de un parque exigiendo papeles de identidad a todo aquel ser que considera sospechoso. Los personajes se encuentran súbitamente en jaque cuando escuchan la frase: "¿No lleva documentación? ¡Al furgón!" En un rato, el lugar queda casi vacío.

Crítica mordaz a la política migratoria practicada en algunas naciones. Las ilustraciones, originales y expresivas, narran en buena parte la historia.

Temas: Migración. Racismo. Derechos humanos. Inclusión.

Ganso, el oso

Gehrmann, Katja
Il. Katjia Gehrmann
Trad. Rocío Aguilar Chavira
México: Ediciones Castillo, 2013
Col. Castillo de la lectura.
Serie blanca
Págs. 40

Por azares del destino, un zorro que hurta un pequeño huevo, tropieza con un oso y sale despavorido dejando su botín en las garras del feroz animal. El oso, muy a su pesar, se convertirá en la madre de un pequeño ganso.

Un entrañable relato que muestra la grandeza de los pequeños, acompañado de coloridas acuarelas en las que se trazan los expresivos personajes.

Temas. Fortaleza. Reconocimiento. Diferencias.

Hilo sin fin

Barnett, Marc
Il. Jon Klassen
Trad. Teresa Mlawer
Barcelona: Editorial
Juventud, 2013.
Págs. 40.

Los hilos de colores de la caja que Anabel encuentra entre la nieve, no parecen agotarse. Ha elaborado suéteres para ella, su perro, y para todas las personas, animales y cosas del pueblo. Un archiduque, fascinado por el prodigio, roba la caja de la niña. ¿Para cuántas prendas le alcanzará?

Las finas imágenes de este libro se entretejen para lograr una trama que derrite la gélida naturaleza del egoísmo.

Temas: Altruismo. Avaricia.

38

Balzola, Asun
Il. Asun Balzola
México: Ediciones Castillo,
2013
Col. Castillo de la lectura.
Serie Blanca.
Págs. 32

Historia de un erizo

Después de hibernar, un pequeño erizo busca compañía, quiere hacer muchos amigos; sin embargo, ni el conejo, ni la ardilla, ni siquiera un ratoncito, que podría ser de su familia, están dispuestos a arriesgar el pellejo.

Un conmovedor relato sobre el rechazo. Las ilustraciones consolidan un agradable escenario que logra volver entrañable esta singular historia.

Temas. Perseverancia. Amistad.

39

Kuhne Peimbert, Catalina
Il. Juan Gedovius
México: CIDCLI/ Conaculta,
2013
Págs. [32]

Iguanas ranas

Chana, la Rana y Juana, la Iguana se consideran hermanas y disfrutan lo que tienen en común y también sus diferencias. A nadie le había incomodado este parentesco hasta que aparece la convocatoria al "Primer Concurso de Cocina para Hermanos". Entonces es necesario dejar clara su hermandad.

Una sencilla narración sobre la esencia de la fraternidad. Las humorísticas y graciosas ilustraciones a base de collages hacen entrañables a los personajes.

Temas. Hermandad. Humor.

40

Heuer, Christoph
Il. Christoph Heuer
Bogotá: Panamericana
Editorial, 2011
Págs. 56

Lola y Fred. Historias sin palabras

Lola y Fred contemplan con admiración el vuelo de los pájaros y se imaginan a sí mismos surcando las alturas, así que inventan distintos métodos para lanzarse al aire y, a pesar de que acaban en varios intentos fallidos, no se desaniman en su empeño.

Creativa y divertida historia en imágenes sobre la perseverancia. El humor en las simpáticas ilustraciones la vuelve entrañable para pequeños y no tanto.

Temas: Humor. Perseverancia.

41

Franz, Cornelia
Il. Stefanie Scharnberg
Trad. Carme Gala
Barcelona: Takatuka/ Virus
Editorial, 2009
Págs. [28]

Marta dice ¡No!

Marta, de cinco años, se queda en casa del abuelo Francisco, su vecino, cuando su madre trabaja hasta tarde. La niña comienza a incomodarse con la cercanía física de Francisco, pero no encuentra la manera de hablar con su mamá.

Historia que busca fomentar la prevención del abuso sexual. Imágenes y texto retratan, con éxito, algunas señales características de los niños que se encuentran en esta situación.

Temas: Abuso infantil. Relaciones familiares.

42

Vidal, Séverine
Il. Kris Di Giacomo
Trad. Darío Zárate Figueroa
México: Ediciones Castillo, 2013
Col. Castillo de Arena
Págs. 48

Mora. Cómo ganar dinero

Los chicos deberían percibir un salario: seis horas trabajando en la escuela, y en casa: recoger la mesa, hacer la tarea, limpiar la arena del gato... ¿Con qué dinero le podrá Mora comprar a Bernardo su regalo de cumpleaños?

A sus ocho años, Mora tiene la suficiente lucidez para confrontar el mundo, y aunque no puede cambiar su entorno, se las ingenia para no salir derrotada.

Temas: Justicia. Ingenio. Familia.

43

Shalev, Zeruya
Il. Patricia Metola
Trad. Ariadne Ortega
México: Ediciones Castillo, 2013
Col. Castillo de la lectura. Serie blanca
Págs. 40

El niño más maravilloso del mundo

En casa, Gur escucha que él es el niño más maravilloso del mundo; el más fuerte, alto, listo, guapo. Sin embargo, en la escuela ve que Noa es más alta que él, Mijael, más guapo, Dafna, más lista. "No soy el más esto ni el más aquello" piensa confundido.

Tierno relato sobre la influencia del afecto en el conocimiento y aceptación de sí mismo. Las expresivas ilustraciones crean un cálido ambiente.

Temas: Autoestima. Amor. Escuela.

44

Ramón, Elisa
Il. Rosa Osuna
Trad. Elisa Ramón
Pontevedra:
Kalandraka, 2011
Col. Libros para soñar
Págs. [36]

¡No es fácil, pequeña ardilla!

La pequeña ardilla roja está triste pues extraña a su madre. No entiende por qué murió, y ni sus amigos ni su padre logran consolarla por más que intentan, hasta que…

Una historia sencilla, conmovedora y bien planteada sobre el dolor por la muerte de alguien muy querido. Las ilustraciones, tiernas y expresivas, crean un ambiente de cercanía con los personajes y ayudan a entender el difícil proceso del duelo.

Temas: Muerte. Duelo. Relaciones familiares.

45

Willis, Jeanne
Il. Tony Ross
Trad. Sandra Sepúlveda Martín
México: Océano Travesía, 2014
Págs. [30]

Odio la escuela

Honorata Valentón describe lo horrible y lo mal que la pasa en la escuela. Su maestra es un batracio que corta cabezas y sus compañeros son "villanos y vampiros inhumanos."

Álbum ilustrado escrito en verso en el que la protagonista nos hace reflexionar sobre la amistad, los retos y el miedo que produce, en ocasiones, la escuela. Las estupendas ilustraciones de Tony Ross, realzan con armonía el texto que acompañan.

Temas: Escuela. Amistad. Miedo.

46 El ogro de Zeralda

Ungerer, Tomi
Il. Tomi Ungerer
Trad. Araya Goitia Leizaola
Barcelona/ Caracas: Ekaré, 2013
Págs. [38]

Al ogro le gusta ir al pueblo a devorar niños pequeños, por eso los padres tienen escondidos a sus hijos. Hambriento, el ogro desfallece hasta que encuentra a Zeralda, una niña que desconoce sus aficiones. Entonces comienza la historia.

La maestría y el humor de las ilustraciones, la frescura de la narración y la calidad de la edición hacen de este libro una delicia para niños y no tan niños.

Temas: Seres fantásticos. Fantasía.

---

47 Orejas de mariposa

Aguilar, Luisa
Il. André Neves
Andalucía: Kalandraka, 2012
Col. libros para soñar
Págs. [28]

Ante las burlas de otros niños, Mara pregunta: "Mamá, ¿tú crees que soy una orejotas?" "No, hija. Tienes orejas de mariposa." "¡Mara tiene el pelo de estropajo!" insisten los niños. "¡No! Mi pelo es como el césped recién cortado".

Adornado con ilustraciones sorpresivas y vivaces, el texto muestra el nexo entre el desarrollo de la confianza básica y el logro de la aceptación de sí mismo gracias al acompañamiento amoroso de los padres.

Temas: Autoestima. Acoso escolar. Imaginación.

48

Gutman, Colas
Il. Delphine Perret
Trad. Rafael Segovia
México: FCE, 2013
Col. A la Orilla del
Viento
Págs. [32]

¿Para qué sirve un niño?

Leonardo se aburre en el campo los fines de semana, pero un día se pierde y topa con un borrego que lo cuestiona: "¿qué cosa eres tú?", "¿para qué sirves?"

Con humor y sencillez en el texto y en las ilustraciones a línea, el libro propone una reflexión sobre los beneficios que ofrece cada animal o persona con su vida. ¿Es la utilidad lo que da valor a la existencia?

Temas: Humor. Aventura. Fantasía. Filosofía.

49

Krouse Rosenthal, Amy
Il. Tom Lichtenheld
Trad. Eulàlia Sariola Mayol
México: Ediciones Castillo, 2013
Págs. 36

Pato. Conejo

¿Es un pato volando o un conejo saltando? ¿Es un pato que está a punto de comerse un pan o es un conejo a punto de comerse una zanahoria? ¿Tiene un largo pico o grandes orejas?

Un ingenioso álbum con sencillas ilustraciones que muestra, a través de ilusiones ópticas, que las cosas se pueden ver de distintas maneras, pero para eso, hay que abrir bien los ojos.

Temas: Humor. Trampa. Ilusión óptica.

50   El perro y la liebre

En Villa Abejón, perros y liebres no se pueden ver, son como el agua y el aceite. Aprovechan cualquier oportunidad para insultarse. En una ocasión se organiza una carrera en la que participarán muchos animales y es de suponer que ningún perro o liebre asistirá, pero Pablo y Lucas no están tan seguros de no hacerlo.

Berner Rostraut, Susanne
Il. Susanne Berner Rostraut
Trad. Susana Tornero
Barcelona: Editorial Juventud, 2012
Págs. 78

Un divertido relato, narrado con humor y acompañado por ilustraciones que recuerdan la sencillez de la vida campirana.

Temas: Animales. Problemas de convivencia. Prejuicios. Humor.

51   Piñatas

A un niño lo invita Juan a su cumpleaños, no sabe por qué, pues jamás han cruzado palabra. Tan pronto llega, se encuentra con la piñata más grande que ha visto jamás. El festejado le venda los ojos y entre los gritos y la oscuridad, no sabe si le ha dado. De pronto, todo es silencio, ¿dónde está?

Isol
Il. Isol
México: Editorial Santillana, 2013
Col. Alfaguara Infantil
Págs. 48

Un original y sorpresivo relato donde se muestra el lado oscuro de las piñatas rotas.

Temas: Fiestas. Miedo. Fantasía.

52

Carrier, Isabelle
Il. Isabelle Carrier
Trad. Teresa Farran Vert
Barcelona: Editorial
Juventud, 2012
Págs. [32]

Un poco de mal humor

Cuando Pit y Pat se encuentran, les dan ganas de navegar juntos. Se hacen inseparables y disfrutan el viaje, hasta que la travesía se vuelve monótona. Surgen entonces las diferencias y "un poco de mal humor" que va creciendo hasta que la barca se parte y los amigos se separan. ¿Qué harán para volver a encontrarse?

Sencilla y tierna historia sobre la amistad ilustrada con delicadeza, sobriedad y buen humor.

Temas: Amistad. Conflictos. Convivencia.

53

Heitz, Bruno
Il. Bruno Heitz
Trad. Teresa Farran Vert
Barcelona: Editorial
Juventud, 2007
Págs [28]

¿Qué ves? Mirando a través de los ojos de los animales

Un grupo de animales juega a las cartas en el jardín, cuando se escucha un estruendo tras la barda. Cada uno dará su versión de lo que sucede al otro lado.

A través de una anécdota divertida, el autor muestra las diferentes formas en que los animales perciben el mismo escenario debido a sus diferencias físicas. Las ilustraciones describen con humor una atmósfera de convivencia amistosa.

Temas: Animales. Diferencias. Humor.

54 Roc escribe una historia

A Roc, el perro, le gustan mucho las palabras y las encuentra en todas partes del bosque por donde camina: flor, insecto, pluma, nido. Ha reunido tantas palabras, junto con su maestro, el canario, que decide escribir un cuento sobre un peculiar personaje del bosque.

Una tierna historia sobre el arte de escribir, la importancia de la inspiración y el proceso creativo para lograrlo. Ilustraciones expresivas dan un emotivo acompañamiento al texto.

Hills, Tad
Il. Tad Hills
Trad. Anna Gasol
Barcelona: Editorial Juventud, 2013
Págs [32]

Temas: Escritura. Palabras. Amistad. Aprendizaje.

55 Al señor Zorro le gustan los libros

Al señor Zorro le gusta leer libros, pero también saborearlos con sal y pimienta. Como resultan un alimento muy caro, asalta la biblioteca y la librería, y se da gusto hasta que es descubierto y enviado a prisión. Ahí tiene que encontrar una solución para no morir de hambre.

Atinada combinación entre un texto ágil y divertido, ilustraciones expresivas, contundentes y cargadas de humor, y una edición dinámica y original.

Biermann, Franziska
Il. Franziska Biermann
Trad. A. Navarro Kellermeier
Madrid: Los cuatro azules, 2008
Págs. 30

Temas: Lectura. Escritura. Libros. Humor.

56 El sueño de Pablo

Pablo disfruta acompañar a su hermano Andrés a pasear las vacas de los vecinos y escuchar a Julia, la niña que más le gusta, leerle cuentos. Los máximos anhelos de Pablo: conocer el mar y aprender a leer.

Sencillos episodios e inspiradoras reflexiones que dan cuenta de vivencias infantiles; la ilustración es de gran calidad y sumerge al lector en el ambiente de vida del protagonista del libro.

Temas: Infancia. Vida. Amor.

Ventura, Antonio
Il. Pablo Auladell
Madrid: Los cuatro azules, 2008.
Págs. [26]

---

57 Una tarde de verano, el elefante

Un día de natación en verano se convierte en la búsqueda de los calzoncillos rojo con rojo, raya con raya, de un pequeño elefante. ¿Quién pudo robárselos? ¿Logrará recuperarlos?

Los lectores primerizos encontrarán en este libro-álbum una amena historia con ilustraciones sobrias, atractivas y bien realizadas. También descubrirán que las cosas no siempre son lo que parecen cuando se trata de animales grandes y pequeños.

Temas: Amistad. Generosidad.

Brown, Virginia
Il. Valentina Echeverría
México: Editorial Santillana, 2013
Col. Alfagura Infantil
Págs. 48

58

Laminack,Lester L.
Il. Henry Cole
Trad. Teresa Farran Vert
Barcelona: Editorial Juventud,
2013
Págs. 48

Tres gallinas y un pavo real

Las gallinas cloquean, el perro vigila. En la granja nunca sucede nada nuevo, hasta que un camión deja una caja con un espectacular pavo real. Ahora, no sólo van las personas a comprar productos frescos sino también a admirar a tan arrogante personaje y eso, a las gallinas no les gusta para nada.

Un divertido relato en el que resaltan las ganas de sobresalir de los personajes y de desempeñar roles que no les corresponden.

Temas: Animales. Arrogancia. Roles. Inclusión.

59

Willis, Jeanne
Il. Tony Ross
Trad. Darío Zárate Figueroa
México: Ediciones Castillo,
2014
Col. Castillo de lectura.
Págs. 32

Una vaca muuuy triste

Muriel, una vaca "medio vieja y flaca", se encuentra en estado de tristeza permanente. Un corderito amigo suyo intenta hacerle ver el aspecto positivo de diversas situaciones, mismas que Muriel sólo puede considerar adversas. Nada parece resultar; es entonces cuando a la vaca, y al corderito, les toca intercambiar papeles.

Sencilla, inspiradora y filosófica historia acerca del optimismo y la vida. Divertidas y ocurrentes ilustraciones complementan la trama de forma genial.

Temas: Emociones. Amistad.

60   Las vacaciones de Roberta

Roberta está de vacaciones en la casa de sus abuelos. Hace calor y no tiene amigos ahí. Quiere ir al mar, pero no puede salir sola, está prohibido; sin embargo, toma una botella de agua mineral, se la carga al cuello y sale a la aventura. Todo es perfecto hasta que se encuentra con Grorex, un singular personaje.

Francia, Silvia
Il. Silvia Francia
Barcelona/ Caracas:
Ekaré, 2013
Págs. 32

Emotivas y coloridas ilustraciones enmarcan una original historia acerca de la amistad.

Temas: Amistad. Vacaciones. Aventura.

---

61   El velero desvelado

"¡Que el viento sople fuerte y avance la corriente!" grita Joaquín, después de colocar, junto con Marcela, la vela del velero que los llevará a pescar. Contentos al ver que su red está llena, imaginan el festín que se van a dar, pero de pronto la estrepitosa Ola Manola pasa a su lado y deja la vela hecha un guiñapo.

Basch, Adela
Il. Eugenia Nobati
México: Editorial
Santillana, 2013
Col. Alfaguara Infantil
Págs. 96

Alegre y humorística obra teatral, con ingeniosos juegos de palabras, música y acción.

Temas: Humor. Juego. Teatro. Aventura.

LEEN BIEN

LEEN BIEN

El carácter del niño y la niña ha alcanzado un cierto grado de equilibrio y madurez. Su personalidad es más definida, su lenguaje más complejo, su disposición para pensar y razonar va en constante aumento, y su ingenio y sentido del humor hacen muy placentera su compañía.

Les gusta reír y divertirse, explorar, descubrir, inmiscuirse en todo. Su curiosidad los lleva a meterse a fondo en lo que les interesa: fenómenos naturales, ciencia, tecnología, sucesos sociales. Por eso, es recomendable ofrecerles una amplia diversidad de materiales de lectura, géneros literarios, formatos editoriales, tipos de ilustración, contenidos. Ellos sabrán decidir.

Si han estado familiarizados con la lectura y los libros, son capaces de ver en ellos diversión y conocimiento, y de leer con fluidez y seguridad.

En este tiempo combinan bien la realidad con la fantasía, relacionan hechos con sentimientos, buscan identificarse con personajes, vivir aventuras, conocer el mundo, sentirse mayores. Ya se han formado aficiones y gustos propios, por eso requieren –y exigen– que se respete su espacio, su tiempo y su voluntad de elegir.

A nosotros nos toca propiciar la lectura en libertad, mantener un diálogo constante con ellos, animarlos a disentir, a ser críticos, alentarlos a relacionar los libros con su vida, con otras lecturas y con lo que aprenden en la escuela.

Aun cuando los niños lean por sí mismos y disfruten hacerlo, la lectura en voz alta, compartida, es una forma de mantenerse cerca de ellos y de favorecer el diálogo respetuoso, pues ya son capaces de tomar en cuenta diferentes aspectos de una cuestión, y de aceptar y valorar las ideas de otros.

También es una oportunidad de exponerlos a la realidad del mundo y colocar sobre la mesa temas conflictivos que, de otra manera, sería difícil abordar. Los niños son capaces de comprender experiencias difíciles y es posible platicar con ellos sobre cualquier problema. Es notable el desarrollo de sus conceptos éticos, la claridad en sus valores, la comprensión de las reglas; su rechazo a la mentira y la injusticia, su pasión por el compañerismo y la solidaridad.

Expandir el panorama de la inteligencia y sensibilidad de los niños es el reto en esta etapa.

LITERARIOS

62   1989. Diez relatos para atravesar los muros

Un mandatario muere tras lograr la construcción de un muro perfecto; un insatisfecho vigilante fronterizo al borde del retiro experimenta un inusitado placer; el diálogo de un árbol y la enorme pared de una cárcel; el encierro voluntario de un magnate que teme a la raza humana.

Conmovedoras y variadas narraciones sobre barreras físicas e intangibles conforman esta edición que celebra el vigésimo aniversario de la caída del Muro de Berlín.

Reynolds, Michael (comp.)
Il. Hening Wagenbreth
Barcelona: Thule
Ediciones, 2009.
Col. Fuera de órbita
Págs. 94

Temas: Guerra. Prejuicios. Xenofobia. Racismo.

63   "Adivina esta cosa ninio". Adivinanzas mayas yucatecas

En las comunidades mayas, las adivinanzas han sido un pasatiempo para todos; forman parte de los rituales y constituyen una manera de preservar su lengua, su cultura y sus tradiciones. Ellas son una manera de hablar de la vida cotidiana.

Briseño Chel, Fidencio
(Compilador)
Il. Marcelo Jiménez Santos
Trad. José Antonio Flores
Farfán et al
México: Artes de México/
CIESAS, 2013
Págs. 50

Esta edición presenta, en cinco idiomas, acertijos centrados en elementos particulares de Yucatán. Las ilustraciones, realizadas por un artista del lugar, reflejan la tradición y cultura representativas de este pueblo.

Temas: Adivinanzas. Tradiciones. Mayas. Pueblos originarios.

LEEN BIEN

64 Agencia de detectives escolares 2

Cházaro y "Pato" administran una agencia de investigación en la primaria Colegio Virreyes; esta vez toman el caso de un bravucón que aterra a los alumnos de cuarto grado. La situación se complica al aparecer una misteriosa criatura de lodo, proveniente del campamento escolar.

Sandoval, Jaime Alfonso
Il. Jimena Sánchez
México: Grupo Editorial Norma, 2013
Col. Torre de Papel. Serie Amarilla
Págs. 238

Entretenida historia que combina elementos de la novela policíaca con ingredientes de humor, para exponer y reflexionar acerca del problema que representa: el llamado "bullying".

Temas: Suspenso. Aventura. Acoso escolar. Honestidad.

65 La ardilla que soñó

Una ardilla sueña algo terrible, no ve nada pero siente golpes muy fuertes, tanto, que se despierta. La ardilla busca a su amiga la cigarra para contarle su sueño y ésta le sugiere alejarse de ese lugar para que no le pase nada. Juntas inician un viaje.

Núñez, Marcos e Hilario
Chi Canul
Il. Víctor Manuel García Bernal
México: ideazapato, 2013
Págs. 46

Ilustraciones originales y creativas acompañan esta narración oral maya que intenta explicar cómo viven los animales y cómo los campesinos cuidan su milpa.

Temas: Pueblos originarios. Muerte. Tradiciones.

66

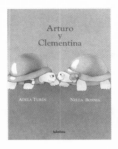

Turín, Adela
Il. Nella Bosnia
Trad. G. Tolentino
Pontevedra: Kalandraka,
2012
Págs. 32

Arturo y Clementina

Clementina tiene muchos planes por realizar, pero lo que más desea en la vida es ir a Venecia. Ahora que se ha casado, compartirá sus proyectos con Arturo y su vida será "maravillosa".

En esta breve narración, a manera de fábula, la autora plantea una crítica aguda e ingeniosa acerca de las relaciones de pareja violentas, disfrazadas con expectativas amorosas. También ofrece al lector una posibilidad de reflexión y una solución inteligente.

Temas: Relaciones de pareja. Decisiones.

67

Mattingley, Christobel
Il. Elizabeth Honey
Trad. María Luisa Balseiro
México: Editorial
Santillana, 2013
Col. Alfaguara Infantil
Págs. 144

Asmir no quiere pistolas

Un éxodo obligado sorprende a miles de familias en Sarajevo, entre ellas a la de Asmir, quien a su corta edad no puede comprender el significado del término limpieza étnica. Junto a otros profesantes del islamismo intenta llegar a Austria, para salvar la vida.

Dramático relato que detalla las peripecias de las personas que lograron salir de una Yugoslavia a punto de fragmentarse, a principios de la década de 1990.

Temas: Guerra. Refugiados. Supervivencia. Relaciones familiares.

68

Bailar en las nubes

Starkoff, Vanina
Il. Vanina Starkoff
Pontevedra: Kalandraka, 2010
Col. Libros para soñar
Págs. 44

"Todas las mañanas salía de mi casa a observar las nubes. Mi sueño era bailar con ellas algún día. Mi mamá decía que me olvidase de esa idea, que sólo los pájaros lograban tocarlas."

Perseguir los más férreos deseos y alcanzarlos con el apoyo de la comunidad, es el planteamiento en este libro álbum que, a partir de un texto sugerente genera todo un universo colorido y entrañable para el lector.

Temas: Deseos. Autoconocimiento. Comunidad.

69

Ballet

Brennan, Juan Arturo
Il. Ericka Martínez
México: Ediciones Castillo/ Conaculta, 2013
Págs. 152

"Todo tipo de historias caben en el ballet, desde cuentos de hadas hasta comedias o dramas históricos."

Acercamiento esquemático y conciso a los argumentos de las obras más representativas del ballet universal. Esta edición de gran formato está acompañada por ilustraciones que propician una enriquecedora lectura de lo narrado.

Temas: Ballet. Música.

70 La bruja Winnie

Winnie, la bruja, tiene un problema de decoración: todo en su casa es negro; todo, además del gato. Para poder distinguirlo, empieza a cambiar su color con hechizos mágicos; sin embargo, el felino amigo se confunde con el color del pasto o sufre la burla de otros animales. Cambiar los colores no parece haber sido tan buena idea.

Álbum ilustrado con divertidas y detalladas ilustraciones.

Thomas, Valerie
II. Korky Paul
México: Océano, 2013
Págs. [28]

Temas: Humor. Mascotas. Magia.

71 El Caballero del Océano Antártico

Daniel tiene trece años. Se nombra a sí mismo caballero e invita a Álex, un pequeño vecino, a ser su escudero. Juntos viven diversas aventuras en las que se pondrá a prueba su valor, tesón, lealtad, e, incluso, su cordura.

Amena narración de un singular héroe en el mundo moderno. Su lenguaje, aprietos y situaciones entrañablemente divertidas, logran que el lector empatice con este relato de transformación.

Alapont, Pasqual
Trad. Elisenda Vergés-Bó
México: edebé, 2014
Págs. 120

Temas: Amistad. Aventura. Valentía.

72

Caperucita roja

Serra, Adolfo
Il. Adolfo Serra
México: FCE, 2013
Col. Clásicos del Fondo
Págs. [32]

Caperucita atraviesa un bosque gris en soledad, y siente que algo anda mal, pero continúa. Al llegar a su destino se encuentra con un problema del que saldrá venturosa.

Una versión en imágenes del cuento clásico, cargada de simbolismo. A la indefensión y la acechanza, presentes en el cuento original, se suman nuevos elementos para ser interpretados por el lector. Las ilustraciones aportan en sus trazos y colores significados diversos.

Temas: Clásicos.

LEEN BIEN

73

Comer a todo color

Young Park, Bo
Adap. Sol Sigal
Fot. Rafael Miranda
México: CIDCLI, 2013
Págs. 30

"Los colores de las frutas y verduras provienen de sustancias que sólo se encuentran en los vegetales. Cada color indica un grupo diferente de sustancias; por eso, comer cada día frutas y verduras de todos los colores garantiza el aporte de vitaminas, minerales y antioxidantes para la nutrición correcta."

Un libro para saborearse en familia. La accesible información y lo llamativo de las fotografías, abren el apetito. ¡Buen provecho!

Temas: Salud. Alimentación. Hábitos.

74

Luján, Jorge
Il. Morteza, Zahedi
Córdoba: Comunicarte,
2013
Págs. [28]

Como si fuera un juguete

"Lo que me gusta de decir algo es no hallar las palabras, cuando las encuentro no me gusta lo que digo."

Frases paradójicas y juguetonas que a veces hacen pensar, y otras invitan al lector a abandonar el pensamiento racional y a entregarse a la intuición. Las coloridas, bellas y originales ilustraciones participan de esta intención al conjuntar libre y armónicamente elementos diversos.

Temas: Poesía. Paradojas. Humor.

75

Rodríguez, Antonio
Orlando
Il. Carole Hénaff
Barcelona/Caracas: Ekaré,
2013
Págs. [34]

Concierto para escalera y orquesta

Dos amigos viven en el mismo edificio y se disponen a asistir a un concierto, pero la escalera que conduce a la salida desaparece. Por su mente pasan un sinfín de posibilidades para llegar a tiempo al teatro, aunque la solución para lograrlo está más cerca de lo que suponen.

El formato vertical y estilizado de esta publicación, y las detalladas ilustraciones, enriquecen finamente la anécdota principal.

Temas: Solución de problemas. Emociones. Música.

LEEN BIEN

76

Concierto de piano

Miyakoshi, Akiko
Il. Akiko Miyakoshi
Trad. Mercè Altimir y Kei Kensho Altimir
Barcelona/ Caracas: Ekaré, 2013
Págs. [36]

Es el primer concierto de piano de Momo. Está sumamente nerviosa, no lo puede evitar. Mira a través del telón. Hay muchísima gente. No lo logrará. Una ratoncita le pide que la acompañe. Momo accede. Ambas entrarán a un mundo maravilloso donde la estrella del espectáculo no conoce el temor al público.

La ilustración, sumamente fina y emotiva, propicia que la fantasía se revele, con todas sus posibilidades, ante el lector.

Temas: Miedo. Música. Fantasía.

77

El cuadro desaparecido

Kasparavicius, Kestutis
Il. Kestutis Kasparavicius
Trad. Margarita Santos
Barcelona: Thule, 2008
Págs. 70

El profesor Adalberto, respetable perro conocedor de arte, adquiere una pintura e invita a todas sus amistades a que la conozcan. En la velada, después de comer tarta de fresa, el cuadro desaparece. Para aclarar el misterio, los invitados se introducen e interactúan con los personajes de la pintura.

Cuento ingenioso desarrollado a partir de una pintura de 1650 utilizando expresivas y originales ilustraciones.

Temas: Imaginación. Arte.

LEEN BIEN

78

El diario de las cajas de fósforos

"Elige el objeto que más te guste y luego te contaré su historia", le dice su bisabuelo a la pequeña. Una caja de puros le llama la atención. Una caja que contiene otras cajas, que contienen a su vez toda una historia.

Fleishman, Paul
Il. Bagram Ibatoulline
Barcelona: Editorial
Juventud, 2013
Págs. 50

Tan realistas como fotografías, las ilustraciones que acompañan esta entrañable historia de migrantes le añaden emotividad y nostalgia.

Temas: Migración. Abuelos.

79

Dos que se quieren

"Los besos calientan las tripas y el alma/ Y cuando indómito, empieza, /entre los que viven en el norte, / el amor a llamear,/ se despojan de las pieles/para, de esta manera, / poder acercarse más."

Poemas sobre el amor acompañados de imágenes que ilustran diversas muestras de afecto entre animales similares o de diversas especies. Una propuesta interesante y sencilla para comprender la importancia y la naturaleza de este sentimiento.

Schubiger, Jürg
Il. Wolf Erlbruch
Trad. Albert Vitó
Albolote: Barbara Fiore,
2012
Págs. 40

Temas: Amor. Poesía. Diferencias.

80

Los elefantes nunca olvidan

Después de una tempestad, un elefante se queda solo en la selva. Camina hasta un claro donde los búfalos retozan y se refrescan. En ese momento, el pequeño solitario se une a la manada y emprende un nuevo camino.

La determinación no siempre se fundamenta en la razón, sino en la sensibilidad y en las lecciones de vida. Un cuento para reflexionar sobre la convivencia, y el valor y los afectos.

Ravishankar, Anushka
Il. Christiane Pieper
Trad. Aloe Azid
Barcelona: Thule Ediciones, 2009
Col. Trampantojo
Págs. 40

Temas: Familia. Emociones.

81

La enamorada del muro

Iván, en vez de hacer la tarea, tiene la costumbre de observar a través de la ventana. Un día común y corriente ve cómo una rata panzona se pasea sobre la enamorada del muro, una especie de enredadera. En ese instante, él pega semejante grit que desata una tremenda confusión.

Un enredado y humorístico relato que pone de cabeza a todo un barrio debido a las suposiciones de sus habitantes.

Comino, Sandra
Il. Gabriela Burin
México: Editorial Santillana, 2013
Col. Alfagura infantil
Págs. 48

Temas: Humor. Enredos.

82

Ramos Revillas, Antonio
Il. Isidro R. Esquivel
México: Ediciones El
Naranjo, 2013
Col. Ecos de tinta
Págs. 128

La guarida de las lechuzas

Como prueba para ser miembro de las Lechuzas, David golpea con una piedra a un compañero de escuela que suele molestarlo. Ese hecho es el detonador que lo lleva a revisar sus actitudes, sus amistades, sus sentimientos, y también a tomar decisiones.

Intensa novela sobre la presión social que sufren los adolescentes y el conflicto entre sus convicciones y la necesidad de pertenencia.

Temas: Acoso escolar. Prejuicios. Adolescencia. Amistad.

83

Ferrada, María José
Il. Susana Celej
España: Kalandraka, 2013
Col. Factoría K de libros
Págs. 56

El idioma secreto

"El idioma secreto me lo enseñó mi abuela. Y es un idioma que nombra las plantas de tomate, la harina, los botones[...] Mi herencia era una caja de galletas con ovillos de lana y boletas de ferretería. Ahí dentro estaban las palabras."

Recuerdos de la relación entre una niña y su abuela. Las páginas evocan el valor de la vida y la naturaleza. Las ilustraciones crean una atmósfera armónica y entrañable.

Temas: Poesía. Naturaleza. Recuerdos.

LEEN BIEN

84

Introducción a la música de concierto: Seres fantásticos

Hadas, brujas, gnomos y elfos salidos de leyendas y cuentos populares bailan y cantan al ritmo de las notas de Debussy, Tchaikovsky, Mendelssohn y Gluck; mientras el diablo inspira en sueños a un asustado pero atento Tartini y habita en la música matemáticamente exigente de Ligeti.

Textos biográficos y descriptivos, ilustraciones y fragmentos musicales (incluye disco) se conjugan, para hacer entendible y atractivo el género instrumental al público infantil.

Gerhard, Ana
Il. Claudia Legnazzi
México: Océano Travesía, 2013.
Págs. 58

Temas: Leyendas. Música. Seres fantásticos. Biografías.

85

Jardín de palabras. Antología de haikús y greguerías

"Trozos de barro,/ por la senda en penumbra/ saltan los sapos." "Las únicas hojas que no mueren/ en los árboles de invierno son los pájaros."

En esta antología, conformada con conocimiento y buen gusto, conviven haikús, poemas breves de autores japoneses y latinoamericanos, con las greguerías, textos también pequeños y, a veces, juguetones, de Ramón Gómez de la Serna. Originales ilustraciones acompañan esta bella invitación al universo de la poesía.

Sánchez-Anaya Gutiérrez, Carlos (Antologador)
Il. Cecilia Alfonso Esteves
México: Ediciones Castillo, 2013
Col. Castillo de la lectura
Págs. 64

Temas: Poesía. Naturaleza. Humor.

86

La jícara
y la sirena

Granados, Berenice
(Compiladora)
Il. Ezekiel
México: ideazapato/
Conaculta/ INBA, 2013
Págs. 66

La jícara y la sirena

Cuentan que en el lago Zirahuen vive una sirena. Muchos dicen que una niña desobedeció cuando le prohibieron meterse al agua porque se convertiría en pescado, y así pasó: " sus pies se unieron en una cola y de la cintura para arriba siguió siendo mujer".

Una serie de narraciones orales que se mantienen vigentes en el imaginario de los habitantes de esta región.

Temas: Narración oral. Tradiciones.

87

George, Jean C.
Trad. Verónica Head
México: Editorial
Santillana, 2014
Col. Alfaguara Juvenil
Págs. 182

Julie y los lobos

Miyax, de trece años, huye de casa porque no acepta el papel de esposa en un matrimonio arreglado. Se pierde en medio de la tundra y, para sobrevivir, debe aprender el lenguaje y las costumbres de los lobos, e integrarse a la manada.

Relato emocionante y conmovedor basado en un estudio riguroso de la vida en el norte del continente americano y en una visión crítica de la llamada "civilización".

Temas: Lobos. Naturaleza. Familia. Tradiciones.

88

Sierra I Fabra, Jordi
Il. Pep Montserrat
Madrid: Siruela, 2008
Col. Las Tres Edades.
Págs. 152

Kafka y la muñeca viajera

En el parque, Franz Kafka encuentra a una niña que llora por su muñeca perdida. Para consolarla, Franz le dice que, en realidad, está de viaje, pero le ha escrito una carta que él le entregará al día siguiente. Desde ese día, la niña recibirá cartas de su muñeca narrándole sus andanzas por el mundo.

Una emotiva y bella historia en que la ternura y la inocencia unen a dos personajes entrañables.

Temas: Amistad. Fantasía. Infancia.

89

Villoro, Juan
Il. Gabriel Martínez Meave
México: FCE, 2013
Col. Los Especiales de A la
Orilla del Viento
Págs. 232

El libro salvaje

Como sus padres han decidido separarse, Juan pasa las vacaciones en casa del excéntrico tío Tito. Inmerso en la enorme biblioteca de su tío, y con ayuda de Catalina, emprende la búsqueda del esquivo Libro Salvaje, guardián de un secreto que lo llevará a encontrarse a sí mismo.

La elegante edición conmemorativa, ilustrada a color, presenta la historia de un jovencito que descubre cómo cada libro elige a su lector.

Temas: Lectura. Enamoramiento. Identidad. Divorcio.

90

Jansson, Tove
Il. Tove Jansson
Trad. Peter Wessel
México: Conaculta, 2009
Col. Biblioteca Alas y Raíces.
Clásicos contemporáneos
Págs. 158

La llegada del cometa.
Los Mumin

Después de una tormenta nocturna, todo amanece gris, sin vida. Snif y Mumintroll escuchan que este fenómeno anuncia la llegada de un cometa y el fin del mundo. Los amigos emprenden entonces una expedición para salvar a la Tierra.

Clásico en que el humor, la exuberante imaginación, la suavidad para tratar a los personajes y las ilustraciones originales de la autora conjuran para ejercer un irresistible encantamiento sobre el lector.

Temas: Amistad. Aventura. Fantasía. Humor.

91

Hinojosa, Francisco
Il. Jazmín Velasco
México: SM, 2013
Col. Barco de vapor
Págs. 124

Manual para corregir adultos malcriados

Padres tramposos, olorosos, que no escuchan; madres fachosas y mentirosas; hermanastras villanas. Todos se juntan en este singular manual, útil para todo aquél que lo necesite.

Entrañable libro que relata el mal comportamiento de los padres. Los niños desesperados buscan al "Doctor Hinojosa", para relatar su historia y pedir consejo; él brinda una solución para su corrección y ambos esperan el resultado. Estupendo libro relatado en forma sencilla y humorística.

Temas: Humor. Familia. Convivencia.

92

Buitrago, Jairo
Il. Estrada, Alejandra
Santiago de Chile: Alfaguara
Infantil, 2014
Págs. 44

El mar

"Y yo sé que antes de que existiera el mundo y el sol y las estrellas, existía el mar".

Álbum de narrativa poética que evoca la sensación de imaginar un mar interno, y todo lo que habita en él. Los colores opacos de las ilustraciones juegan con la tenue línea azul que aparece al principio, y cuya tonalidad ocupa mayor espacio conforme avanza la lectura, para remitir al simbolismo marítimo.

Temas: Fantasía. Poesía.

93

Miyakoshi, Akiko
Il. Akiko Miyakoshi
Trad. Ritsuko Kobayashi
México: Océano Travesía,
2013
Págs. 50

La merienda en el bosque

El padre de Kiko sale hacia la casa de la abuela, pero olvida el pastel que le hornearon. La niña se ofrece para alcanzarlo. Su madre accede. En el trayecto se encuentra con una cabaña donde algo extraordinario sucede.

La solución a un pequeño olvido da un giro inesperado, tanto en la historia como en la construcción de la imagen y sucede que el lector se convierte en el personaje.

Temas: Valentía. Independencia. Familia.

94   Mil grullas

Bornemann, Elsa
Il. María de Jesús Álvarez
México: Editorial Santillana,
2013
Col. Alfaguara Infantil
Págs. 48

Naomi y Toshiro se ven diariamente en la escuela y cada día su amor crece. En agosto de 1945 su historia es interrumpida por la bomba lanzada sobre Hiroshima. Él, para salvarla, construye mil grullas de papel...

Conmovedora historia basada en una creencia popular japonesa que hace que el lector conozca y pondere el daño que ocasionan tanto las guerras como el anhelo de poder.

Temas: Primer amor. Guerra. Duelo.

---

95   La niña de rojo

Frisch, Aaron
Il. Roberto Inocennti
Trad. Carlos Heras
Pontevedra: Kalandraka,
2013
Págs. [32]

"Esta historia ocurre en un bosque. Un bosque con pocos árboles, un bosque de cemento y ladrillos. [...] Sofía es muy joven y está descubriendo cómo se comportan los habitantes del bosque."

La indefensión latente al momento de entablar relaciones con extraños, cuando la inocencia prevalece sobre la suspicacia, es representada en un ambiente urbano, con ilustraciones de objetos y personajes inquietantes, propios de una ciudad moderna llena de contrastes.

Temas: Ciudad. Desamparo. Exclusión. Clásicos.

96 Una noche en el laberinto

Barrera, Ave
II. Carlos Vélez Aguilera
México: edebé, 2014
Págs. 140.
Serie Tucán verde
Págs. 112

La fiesta de cumpleaños de Mayra Patricia se convierte en pesadilla para Adriana, quien debe rescatar un valioso collar de las manos de Christian, un bravucón; defender a Godofredo, un niño con diabetes, y, de paso, sortear la furia de su madre, quien la cree culpable de todas las desgracias.

Divertida y fluida historia con unos personajes sumamente simpáticos que, no sólo se conocen por la lectura sino por las agradables ilustraciones que los representan.

Temas: Honestidad. Amistad. Relaciones Familiares.

97 Ñuma'ñanivi ñuu Sueños Ñu Savi

Cruz Ortíz, Alejandro
(Recopilación y traducción)
II. Octavio Moctezuma
México: Centro de
Investigaciones y Estudios
Superiores en Antropología
Social, 2010
Págs. 32

"Al soñarte junto a una araña tranquilamente dormir, habrá placer satisfacción y mucha alegría en tu porvenir", "El soñar un arco iris por ti sobrevolar, es que tu inquilino por fin se va a mudar".

Un libro bilingüe sobre la importancia de los sueños entre los ñuu savi. En las últimas páginas aparece una explicación sobre la diversidad onírica y la gran relevancia que culturalmente posee para estos pueblos.

Temas: Sueños. Diversidad.

98

Nöstlinger, Christine
Trad. Rosa Pilar Blanco
México: Editorial Santillana,
2013
Col. Alfaguara Juvenil
Págs. 184

Olfato de detective

Kurt Zwoch recibe una casa ruinosa y desvencijada llena de trebejos como herencia de una tía lejana. Para dar gusto a sus tres hijas, decide restaurarla y mudarse a ella. Las niñas y Yago, su amigo vecino, sospechan que, además, la tía dejó una buena cantidad de dinero, así que emprenden la búsqueda del "tesoro".

Una divertida historia detectivesca, con personajes bien definidos, una estructura impecable y un final inesperado.

Temas: Humor. Suspenso. Amistad.

99

Peyron, Gabriela
Il.Teresa Martínez
México: Grupo Editorial
Norma, 2013
Col. Torre de Papel
Anaranjada
Págs. 120

¡Opa al rescate!

Opa acompaña a su ama Gertrudis al museo en donde trabaja como vigilante. A partir de un donativo: las zapatillas de la Emperatriz, antigua dueña del castillo, empiezan a suceder cosas extrañas. Al desaparecer las zapatillas, Gertrudis es acusada de robo; para liberarla, sus amigos, junto con su perra Opa, tienen que resolver el misterio.

Una historia detectivesca, entretenida y ligera, escrita con fluidez y sentido del humor.

Temas: Misterio. Fantasmas. Amistad

100

De otra
manera
Ana Tortosa
Mónica Gutiérrez Serna

Tortosa, Ana
Il. Mónica Gutiérrez Serna
Barcelona: Thule Ediciones,
2009
Col. Trampantojo
Págs. [28]

De otra manera

"Cuando estoy sola,/ me asusta el rugir del trueno…/ De la mano del abuelo,/ lo siento de otra manera: a su lado me envuelve el resplandor azul del rayo/ y el olor de la lluvia/ que empapa la tierra."

Poema íntimo y sutil sobre los recursos de una niña para afrontar los retos de la vida. Las finas, sugerentes y poderosas ilustraciones son el complemento perfecto para embellecer la edición.

Temas: Poesía. Miedos. Relaciones humanas.

101

PALABRAS
para armar tu canto

Ramón Suárez

Ilustraciones de
Cecilia Rébora

Suárez, Ramón
Il. Cecilia Rébora
Pontevedra: Kalandraka,
2012
Col. Factoría K de libros
Págs. 64

Palabras para armar tu canto

"¿De qué color es la brisa?/ De la risa/ ¿A qué sabe la certeza?/ A tristeza. / ¿Quién perfuma mi dolor?/ El amor. / Así que viendo el valor/ de cada instante que vivo/ en estos versos escribo/ risa, tristeza y amor."

Veintiséis composiciones poéticas desde las nanas hasta la poesía clásica castellana del Siglo de Oro. Interesantes ilustraciones tipo collage complementan a este poemario.

Temas: Juego de palabras. Poesía

102

Un paseo con el señor Gaudí

El señor Gaudí, el arquitecto creador de los edificios más originales y emblemáticos de Barcelona, camina ensimismado para supervisar las obras de La Sagrada Familia, una trabajo que, como el de toda gran catedral, será terminado por generaciones futuras.

A través de este libro es posible acompañar a este entrañable personaje. Las ilustraciones reflejan los sueños, el espíritu y la emotividad del artista y de su obra.

Estrada, Pau
II. Pau Estrada
Barcelona: Editorial
Juventud, 2013
Págs. [44]

Temas: Arquitectura. Arte. Ciudad.

103

Mi pequeña fábrica de cuentos

¿Cómo puede un marciano pasear hojas muertas, estrellas, un tango, tres sardinas pequeñas o seis calabazas? Seguramente no le será nada fácil, aunque tampoco lo es que se vea a una mariposa que, en la tele, devora el verano o a miles de viajeros o, incluso, a un magnífico iglú. En este libro descubrirás cómo.

Serie de oraciones que, al combinarse, crean divertidas y singulares narraciones.

Gibert, Bruno
Trad. Bernat Castany
Barcelona: Thule Ediciones,
2013
Págs. [44]

Temas: Juegos de palabras. Inventos. Creatividad.

104

po yen chang

鳥

pictograma

El origen de la escritura china

Yen Chang, Po
Il. Po Yen Chang y Danae Díaz
Thule Ediciones, 2011
Págs. 98

Pictograma. El origen de la escritura china

Las guerras que tienen lugar en el imperio son registradas en nudos de las cuerdas o en líneas trazadas sobre madera, pero ambos métodos son efímeros y Cang Jie, el sabio consejero del emperador chino, es conminado a encontrar otro sistema.

Un bello mito que explica los orígenes de la escritura china. En él se exalta la importancia de descubrir lo que ya está escrito en la naturaleza.

Temas: Naturaleza. Sabiduría. Historia

105

Pippo el Loco
Tracey E. Fern
Ilustrado por Pau Estrada

Fern, Tracey E.
Il. Pau Estrada
Trad. Teresa Farran Vert
Barcelona: Editorial
Juventud, 2009
Págs. [44]

Pippo el Loco

Filippo Brunelleschi, Pippo el Loco, sueña con ganar el concurso para diseñar la enorme cúpula de la catedral de Florencia. Para lograrlo, tiene que convencer a los jueces de lo que parece imposible. Luego, vendrá la hazaña de construirla para convertirse en Pippo el Genio.

Relato ubicado en el Renacimiento, época prodigiosa en la que coincidieron artistas geniales. Las ilustraciones, bien documentadas, recrean el ambiente y la belleza de Florencia.

Temas: Arquitectura. Arte.

Plantando los árboles de Kenia.
La historia de Wangari Maathai

Cuando era niña, Wangari Maathai vivía en una granja en las colinas del centro de Kenia. Amaba su verdor; había higueras, olivos y flamboyanes por doquier. De joven, Wangari partió al extranjero a estudiar y cuando regresó, el manto verde que caracterizaba a su madre tierra, estaba casi extinto… había que actuar de inmediato.

Nivola, Claire A.
II. Claire A. Nivola
Trad. Teresa Farrán
Barcelona: Editorial Juventud,
2012
Págs. 40

Un relato biográfico bellamente ilustrado sobre la mujer que obtuvo el Premio Nobel de la Paz en 2004.

Temas: Ecología. Altruismo. Empatía.

La puerta de los tres cerrojos

Niko decide cambiar la ruta para ir a la escuela. En el camino, intrigado por una casa que nunca había visto, entra en ella para encontrarse con el enigmático mundo cuántico. Inmerso en emocionantes aventuras y enfrentando una misión inesperada, presencia la lucha entre materia y antimateria; las apariciones y desapariciones del gato de Schrödinger y otros extraños fenómenos.

Fernández-Vidal, Sonia
México: Océano, 2011
Col. La Galera/ Gran
Travesía
Págs. 208

La fantasía y la ciencia conviven amigablemente en esta estimulante novela.

Temas: Ciencia. Aventura. Fantasía.

LEEN BIEN

108

Jairo Buitrago

¿QUÉ PUEDO DECIRTE DE LOS FANTASMAS?

Lumen

Buitrago, Jairo
Il. Jairo Buitrago
Bogotá: Lumen, 2014
Págs. 32

¿Qué puedo decirte de los fantasmas?

Puedo decirte que... "Hacen limonada los días de calor,/ y se aburren bajo los rayos del sol./ Prefieren la sombra del manzano/ para soñar despiertos/ y escribir en diarios sobre ser espectros." Además, "Existen tantos, tantos miles en el mundo,/ que se cruzan con nosotros en las calles [....]

Una divertida, creativa y original serie de versos que muestra a los fantasmas como personajes cercanos y entrañables.

Temas: Poesía. Vida cotidiana.

109

Ward, Helen
Il. Helen Ward
Trad. Raquel Solá
Barcelona: Editorial Juventud, 2012
Págs. 44

El ratón de campo y el ratón de ciudad

Un ratón vive plácidamente en el campo rodeado de la abundancia que le provee la naturaleza. Un día es visitado por un primo que vive en la ciudad, quien le ofrece una visión diferente de los placeres de la vida.

Adaptación actual de una fábula de Esopo que plantea al lector cómo la opinión de otros influye sobre la propia. Las ilustraciones detalladas enfatizan el significado del texto.

Temas: Diferencias. Identidad. Ciudad.

110

Reider, Katjia
Il. Jutta Bücker
Trad. Arianna Squilloni
Barcelona: Thule Ediciones,
2014
Col. Trampantojo
Págs. 64

Rosa y Trufo. Una historia de amor/ Trufo y Rosa. Una historia sobre la felicidad.

Rosa está enamorada de Trufo y es bien correspondida; los amigos de ambos no están de acuerdo con la relación, por lo que los obligan a cambiar sus hábitos, apariencia y actitudes. Los enamorados deben decidir por sí mismos si desean seguir dichos consejos, aunque ello conlleve estar separados.

Peculiar parodia de las relaciones de pareja, así como de la influencia que pretenden ejercer en ellas familia y amistades.

Temas: Relaciones humanas. Amor. Roles.

111

Bucay, Demián
Il. Mauricio Gómez Morín
México: Océano Travesía,
2014
Págs. [52]

El secreto de la flor que volaba

Las mariposas han fascinado al emperador Ho Liang desde que era un niño. Al tomar el trono, se hace de numerosos ejemplares a los que encierra en una gran caja de cristal a fin de disfrutar de sus colores y esplendor, pero se decepciona al descubrir que todas las mariposas cautivas resultan transparentes.

Libro que ofrece detalladas y evocativas imágenes, así como un metafórico relato fabulado que detona la reflexión.

Temas: Libertad. Identidad.

LEEN BIEN

112

El señor Bello y el elixir azul

Max por fin ha conseguido el perro que tanto desea: 'Bello'. Teobromino, el padre de Max, es farmacéutico y ha recibido un extraño elixir azul, de parte de una misteriosa anciana. Todo se complica cuando Bello bebe por accidente la sustancia y se convierte en "El señor Bello".

Relato fantástico y humorístico que provoca la reflexión, acerca de cómo se comportarían los animales domésticos, si espontáneamente adquirieran forma humana.

Maar, Paul
Il. Ute Krause
Trad. María Falcón Quintana
México: Conaculta, 2011.
Col. Biblioteca Alas y Raíces
Págs. 248

Temas: Fantasía. Animales. Humor. Amistad.

113

Soldados en la lluvia

Héctor y Flor nunca van a la escuela, cuidan a su abuelo enfermo mientras continúan con las tareas cotidianas como cocinar y cuidar a los animales. Una noche, un hombre pelirrojo, de piel blanca y ojos muy azules, irrumpe en la casa. Alguien que luzca así, que huela así, no puede ser otro que el Diablo.

Un breve e intenso relato acerca de las promesas, el valor y las coincidencias.

Malpica, Toño
Il. María Teresa Devia
Bogotá: Grupo Editorial Norma, 2013
Col. Torre de Papel Amarilla
Págs. 166

Temas: Abuelos. Historia. Ingenio.

114

La travesía de los mayas

"El 21 de diciembre de 2012 no es el fin del mundo, sino un final más que para los mayas siempre es el comienzo de una nueva era. […] la oportunidad de un nuevo comienzo."

Flores Farfán, José Antonio
II. Marcelo Jiménez Santos
Trad. B. Flor Chanché Teh
México: Conacyt/ CIESAS, 2012
Págs. 48

Edición bilingüe (español y maya) para conmemorar un nuevo Baktún. Un importante esfuerzo de divulgación de la cultura maya; su verdadero significado y sus aportaciones astronómicas y matemáticas. Esta publicación enriquece el repertorio de textos escritos en Maya T'aan.

Temas: Pueblos originarios. Mitología.

115

El último cuento

Jacinto, de tarde en tarde, bajo la sombra de un viejo árbol, generosamente alimenta al pueblo con las historias que narra. Un buen día desaparecen él y sus palabras. La ciudad, desnutrida y seca, se llena de un ruido sobrecogedor y de un estruendoso silencio.

Un relato en el que la fuerza del texto y las contundentes ilustraciones enaltecen el valor de la oralidad.

Castro, Rodolfo
II. Enrique Torralba
México: Ediciones Castillo, 2014
Págs. 40

Temas: Narración oral. Palabras. Reconocimiento.

116 El único incomparable Iván

Applegate, Katherine
Il. Patricia Castelao
Trad. Mercedes Guhl
México: Océano, 2012
Col. Gran Travesía
Págs. 324

Iván, un gorila que sorprende a todos con sus dibujos, ha olvidado su pasado. Sus días transcurren en un reducido escaparate dentro de un centro comercial. Otros animales, víctimas de la misma situación, las crayolas y el papel que la pequeña Julia le regala, iluminan sus días hasta que algo cambia, pues con la llegada de una nueva huésped, Iván recuerda...

Conmovedora historia de ficción basada en un hecho real.

Temas: Maltrato a los animales. Solidaridad. Creatividad. Empatía.

117 El valor del agua

Llamazares, Julio
Il. Antonio Santos
Madrid: Los cuatro azules,
2011.
Col. CUENTAHíLOS
Págs. 56

Julio escucha las historias que cuenta su abuelo: relatos sobre el pueblo donde nació; un lugar que fue tragado por el agua y convertido en pantano. El niño cree que son inventos para entretenerlo, hasta que abre una caja que el abuelo le hereda.

Atractivos grabados complementan e ilustran una conmovedora trama que llama a la reflexión acerca de la experiencia de las personas de la tercera edad.

Temas: Abuelos. Recuerdos. Narración oral.

118   El viaje de Babar

Brunhoff, Jean de
Il. Jean de Brunhoff
Trad. María Puncel
México: Editorial Santillana,
2013
Col. Alfaguara Infantil
Págs. 52

Babar y Celeste, reyes del país de los elefantes, emprenden un viaje en globo. Después de navegar un tiempo, el globo es arrastrado por un fuerte viento en dirección a una isla donde al aterrizar, los dos elefantes viven una serie de desventuras.

Representación de algunos valores universales como la justicia y la solidaridad; la historia propicia una reflexión sobre la importancia de la unión en una comunidad para solucionar sus problemas.

Temas: Viajes. Animales. Respeto.

119   Los viajes de José Juan

Madrazo, Alicia
Il. Alicia Madrazo
México: Ediciones
Tecolote, 2013
Págs. [40]

Fascinado por las costumbres, los paisajes y el arte del Japón, el poeta mexicano José Juan Tablada pasa un tiempo en ese país y adopta nuevas formas tanto de vivir como de hacer poesía.

Los caligramas y haikús, presentados en este hermoso libro para jóvenes, son una excelente puerta de entrada a la poesía. La encuadernación y las ilustraciones, también inspiradas en el arte japonés, constituyen un perfecto complemento al texto.

Temas: Poesía. Escritura. Arte.

LEEN BIEN

120

Lavín, Mónica
Il. Daniela Violi
Bogotá: Grupo Editorial Norma,
2013
Col. Torre de Papel Azul
Págs. 64

Una voz para Jacinta y otros cuentos infantiles

Una nube entra en la casa y se lleva a Ignacia, una bebé. Sus dos hermanos parten en su búsqueda; Fabián no entiende por qué su amigo Julio, hijo de la cocinera, no puede asistir a su fiesta de cumpleaños.

En estos seis cuentos, la fantasía es un disfrutable vehículo para transitar por acontecimientos improbables y contemplar situaciones que revelan la vida secreta e íntima de los niños.

Temas: Fantasía. Infancia. Relaciones familiares.

121

Fonseca, Rodolfo (Antologador)
Il. Jesús Cisneros
Trad. Darío Zárate Figueroa
México: Ediciones Castillo, 2013
Col. Castillo de la Lectura. Serie Roja
Págs. 152

Vuelo de voces. Antología de poesía iberoamericana

"Junto a la orilla del mar,/ tú que estás en fija guardia,/ fíjate guardián marino,/ en la punta de las lanzas/ y en el trueno de las olas/ y en el grito de las llamas/ y en el lagarto despierto/ sacar las uñas del mapa:/ un largo lagarto verde,/ con ojos de piedra y agua." Nicolás Guillén

Una antología sensible y representativa que, acompañada por elocuentes ilustraciones, motiva múltiples lecturas.

Temas: Poesía.

122

Fogliano, Julie
Il. Erin E. Stead
Trad. Paulina de Aguinaco Martín
México: Océano Travesía, 2014
Págs. [36]

Y de pronto es primavera

Un niño y su perro deciden sembrar un jardín para ocultar el tono café del ambiente. Siembran unas semillas y diariamente salen a verlas esperando que el verde aparezca de pronto, pero las semillas siguen siendo color café…

Álbum ilustrado en el que se resalta la esperanza y la confianza: la naturaleza tiene su tiempo. Excelentes y conmovedoras ilustraciones hacen que el lector reflexione sobre la persistencia y la perseverancia.

Temas: Naturaleza. Perseverancia. Esperanza.

123

Gutiérrez, Xulio
Il. Nicolás Fernández
Trad. Chema Heras
Vigo: Factoría K de libros, 2008
Págs. 34

INFORMATIVOS
Bocas. Animales extraordinarios

Existen animales cuyas bocas están repletas de dientes con los cuales se adhieren a sus víctimas y les succionan la sangre hasta desangrarlos. Hay otros que con sus colmillos se alimentan de criaturas que pesan más que ellos. Incluso existen algunos que tienen una lengua tan larga y rápida que puede atrapar hasta 35000 hormigas en un día.

Una relación fascinante de animales con sus distintas y extrañas bocas.

Temas: Animales. Diferencias. Alimentación.

124

Tu fantástico y elástico cerebro. Estíralo y moldéalo

El cerebro no es lo único que se encuentra dentro del cráneo. En realidad, forma parte del encéfalo junto con el cerebelo, el bulbo raquídeo y el sistema límbico. El cerebro es un órgano "elástico" que se fortalece cuando la persona aprende algo nuevo, se mueve o comete errores.

De manera sencilla y clara, el libro describe las características y forma del cerebro, su función y la forma de estimularlo.

Temas: Anatomía. Cerebro. Sistema nervioso. Aprendizaje.

Deak, Joann
Il. Sarah Ackerley
Trad. Teresa Farran Vert
Barcelona: Editorial Juventud, 2013*
Págs. 45

125

El gran libro del árbol y del bosque

"El árbol forma parte de nuestro entorno. Diseminado por el campo, agrupado en bosques, parques y jardines o bordeando las avenidas de nuestras ciudades, está presente en todas partes."

Información muy completa sobre los árboles dentro de un libro en el que el gran formato, las oxigenantes ilustraciones y el lenguaje claro y accesible, rinden homenaje a estos seres que por su belleza y vital importancia son dignos de estudiarse y de reconocerse.

Temas: Ecología. Naturaleza. Árboles.

Mettler, René
Il. René Mettler
Barcelona: Editorial Juventud, 2010
Págs. 56

126

Aladjidi, Virginie
Il. Emmanuelle Tchoukriel
Trad. Pedro A. Almeida
Pontevedra: Kalandraka, 2013
Col. Factoría K de libros
Págs. [68]

Inventario ilustrado de los mares

"El pez erizo triplica su volumen cuando está inquieto. Se infla de agua y sus pinchos se erizan por la presión."

Ilustraciones en tinta china y acuarela ilustran este creativo inventario. Nombre común, científico e interesantes descripciones de cien animales y plantas del mundo marino. Su edición y diseño realizado como álbum ilustrado, fomenta la curiosidad del lector por investigar y adentrarse en el mundo marino.

Temas: Animales. Ecología. Mares.

127

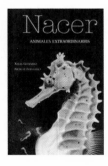

Gutiérrez, Xulio
Il. Nicolás Fernández
Andalucía: Kalandraka, 2009
Col. Animales extraordinarios
Págs. 34

Nacer. Animales extraordinarios

"Cada especie posee una forma propia de nacimiento y crianza adaptada a las condiciones del medio en el que vive. La finalidad de la reproducción es transmitir el legado genético de una generación a la siguiente, y así perpetuar la especie."

Un libro que describe doce maneras diferentes de reproducción animal, desde mamíferos hasta poríferos. Las explicaciones son accesibles y las fichas que se encuentran al final, agregan interesantes datos duros.

Temas: Reproducción. Animales.

128

Vamos a comer... ¡flores!

Goldman, Judy
II. Valeria Gallo
México: Ediciones SM, 2014.
Págs. 40

De colorín, de la biznaga, de mayo, yuca, maguey, garambullo y desde luego, de jamaica y calabaza. Algunas bien conocidas, otras no tanto; unas originarias de México, otras mudadas desde diversas latitudes, llegaron para quedarse y sí ¡también para comerse!

Colorido breviario con información puntual –características físicas, origen y usos diversos– acerca de algunos tipos de flores. Incluye un recetario.

Temas: Flores. Comida. Tradiciones.

LOS GRANDES LECTORES

Los Grandes Lectores

Con la adolescencia, se transforma drásticamente la manera de pensar de los niños y niñas. Poco a poco pasan de lo concreto a lo abstracto; las palabras adquieren para ellos un significado más profundo y preciso; pueden entender símbolos y les encanta jugar con metáforas y comparaciones. Pueden considerar varias explicaciones de una situación; comprender problemas complejos, valorar las posibles soluciones y prever las consecuencias de una decisión.

Comienzan a percibir nuevas relaciones entre sus ideas y el mundo, son capaces, no sólo de entender cómo son las cosas, sino también cómo podrían ser. Constantemente comparan la realidad con el ideal que imaginan, y descubren imperfecciones que los indignan, entonces suele surgir en ellos el deseo de salvar al mundo y empiezan a involucrarse en acciones de servicio.

Viven las emociones con una intensidad agotadora, pasan de un extremo a otro: las cosas buenas son buenísimas, y las malas, intolerables. Es la edad de la rebelión, desechan lo que antes han querido, se rebelan contra la autoridad y rechazan los modelos que les ofrecen los adultos.

Muchos adolescentes expresan sus deseos de libertad por medio de su propia apariencia física, pero también a través de sus creaciones en la música, el arte y la poesía. Es la edad de los diarios personales.

También es el tiempo de las lecturas inolvidables, del encuentro con personajes entrañables, muchas veces protagonistas juveniles que transcurren por el proceso de convertirse en adultos y viven los conflictos del enamoramiento, la superación de limitaciones o la lucha por una causa.

Los adolescentes que han construido una asidua y gozosa relación con los libros, y se han convertido en grandes lectores, han hecho de la lectura una forma de encontrarse consigo mismos, y un camino para seguir construyendo su identidad.

Como sentirse parte de un grupo es vital para los adolescentes, las comunidades lectoras, presenciales o virtuales, en que puedan dialogar entre sí y proponer o defender sus ideas constituyen un gran recurso para seguir avanzando en su proceso lector.

Aun cuando ya son lectores autónomos, todavía requieren orientación y compañía. Compartir lecturas, averiguar juntos sobre un tema, platicar sobre obras, personajes y autores, interesarnos en sus opiniones y escucharlas, es una forma amistosa y certera de estar al pendiente de ellos. Participar en el diálogo de igual a igual, sin dar consejos, sin imponer nuestros puntos de vista, respetando sus espacios, tiempos e ideas, fortalecerá los lazos que en esta etapa de la vida se vuelven frágiles.

LITERARIOS

129

Azid, Aloe (Selección)
Barcelona: Thule
Ediciones, 2007
Col. microMUNDOS
Págs. 352

1. Mil y un cuentos de una línea

En una línea pueden construirse aforismos, declaraciones, una sentencia, un verso, quizás una verdad absoluta, aunque también, por supuesto, historias complejas, cómicas, trágicas... como la de Vicente Ferrer titulada *¡Ah!*: "Los deseos que dejan de cumplirse porque los mendigos han sacado las monedas de las fuentes."

Una inteligente y amena compilación de narraciones brevísimas e ingeniosas escritas en distintas épocas en diversas partes del mundo

Temas: Minificción. Antologías.

130

Kockere De, Geert
Il. Sabien Clement
Trad. Goedele De Sterck
Albolote: Barbara Fiore, 2013
Págs. 40

Amo amar, amor

"Nosotros practicamos el amor/ como las palabras practican el lenguaje:/ buscando/ los huecos adecuados/ para confluir con ganas/ en el deseo de una frase/ dotada de sentido".

Libro erótico en el que la poesía y la imagen confluyen bellamente para mostrar momentos del enamoramiento de una manera alegre, juguetona, creativa, tierna, profunda. Una original propuesta para los que disfrutan la poesía, el arte y la experiencia amorosa.

Temas: Poesía. Erotismo. Amor.

LOS GRANDES LECTORES

131

Aldán, Edilberto (Antologador)
México: Ediciones SM, 2012
Col. Gran Angular
Págs. 204

Así se acaba el mundo. Cuentos mexicanos apocalípticos

¿Cómo enfrentar el inminente fin del mundo que se aproxima? Es posible evocar los mejores recuerdos, terminar un juego de Nintendo, mirar la última transmisión televisiva…

El malentendido fin del ciclo vital maya dio origen a esta antología en la que se reúnen diecinueve visiones del caos. Aunque cada una tiene una propuesta original, en su conjunto se convierten en una gran metáfora sobre el colapso social persistente.

Temas: Supervivencia. Relaciones humanas. Miedo.

132

Christopher, Lucy
Trad. Darío Zárate Figueroa
México: Ediciones Castillo, 2014
Pags. 368

El bosque del verdugo

En un pueblo donde habitan muchos militares, sucede una tragedia lamentable: el padre de Emily, un excombatiente que vive una traumática experiencia en una batalla, llega a casa cargando el cuerpo inerte de una chica. En una sociedad que busca huir de una realidad inquietante y absurda, todos son responsables de los daños colaterales.

Una novela perturbadora, magistralmente narrada a dos voces.

Temas: Relaciones familiares. Empatía. Prejuicios.

133

Reyes, Alfonso
Il. Santiago Caruso
México: La Caja de Cerillos
Ediciones, 2013
Col. Ilustres
Págs. 36

La cena

Un hombre debe llegar a la aldaba de su casa antes de que den las nueve campanadas, de lo contrario, algo funesto sucederá. A las nueve llega, ha sido invitado a una cena. En ella se encuentra con dos misteriosas mujeres, idénticas, salvo porque una es mucho mayor que la otra. Ellas le mostrarán su casa, su jardín y sus espejos...

Una construcción narrativa que apuesta por la fantasía, los delirios y el terror.

Temas: Terror. Suspenso. Magia.

134

Sheridan Le Fanu, Joseph
Il. Ana Juan
Trad. Juan Elías Tovar
México: FCE, 2013
Col. Clásicos
Págs. 104

Carmilla

La vida de Laura es solitaria, tanto como lo puede ser en un lejano castillo. Una noche, un carruaje, misterioso y fúnebre, se vuelca y una joven pasajera debe quedarse como su huésped. Las emociones se intensificarán, no sólo en la vida de quienes la acogen, sino en la de todo el pueblo.

Un texto atemporal que, por la belleza de sus letras, propone una perspectiva singular del mito vampírico.

Temas: Vampiros. Terror. Erotismo.

LOS GRANDES LECTORES

135 El destino de dos feos y otras narraciones

Cecilia, joven y hermosa, muere de amor a pesar de que un fiel médico intenta devolverle la salud. Ella ignora que el galeno es el mismo hombre de quien ella ha vivido enamorada desde su niñez.

Crónicas con un toque humorístico y notas que permiten al lector ubicarse en el contexto social, político y cultural del siglo XIX. Las ilustraciones son bellas y muy adecuadas para contextualizar.

Payno, Manuel
II. Joel Rendón
México: Ediciones SM, 2012
Págs. 152

Temas: Historia. Costumbres. Amor.

---

136 El día loco del profesor Kant

Vida cotidiana, sucesos inesperados y amor. Mezcla entre un día diferente a los demás y el pensamiento de Emmmanuel Kant.

Ilustraciones modernas, originales y coloridas motivan a conocer más sobre la vida de este singular personaje y su repercusión en la historia de la Filosofía.

Mongin, Paul
II. Laurent Moreau
Trad. Cristina Ramos
Bogotá: Panamericana, 2013
Págs. 64

Temas: Vida cotidiana. Filosofía.

137 Discurso de José Revueltas a los perros en el Parque Hundido

González Rojo Arthur, Enrique
II. Santiago Solís
México: ideazapato/ Conaculta/
INBA, 2013
Págs. 30

"Compañeros canes:/ Aprovecho esta concentración para tomar por asalto la palabra y decirles mi desdén, mi resistencia, mi furia por la vida de perros a que se les ha sometido y que ustedes aceptan sumisamente con una larga, peluda y roñosa cobardía entre las patas."

Este poema parodia la conocida anécdota en la que Revueltas, conmovido por algunos perros hambrientos, exhorta a los paseantes a reflexionar sobre las injusticias sociales.

Temas: Poesía. Respeto a la vida. Empatía.

---

138 Entre tonos de gris

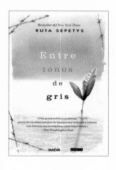

Sepetys, Ruta
Trad. Isabel González-
Gallarza
México: Océano, 2012
Págs. 288

Lina, una joven de quince años, es deportada a los campos de trabajo de Siberia junto con su madre y a hermano por ser "antisoviéticos." En el tren dibuja a escondidas todo lo que experimenta durante su duro y doloroso viaje: miedo, odio y muerte.

Conmovedora e impactante historia relatada por la protagonista; novela que adentra al lector en lo sucedido a millones de personas en Lituania durante 1941.

Temas: Guerra. Miedo. Valentía. Esperanza.

LOS GRANDES LECTORES

Esta lluvia es la misma

Gaytán, Rosa
México: Textofilia, 2012
Págs. 68

"Este mar no es un amor sencillo:/hay que encontrar la entrada,/El momento preciso./ Entras en el juego/ o quedas fuera,/ como el brinco que exigía/ la reata de la infancia./ Es una alerta roja,/ la convivencia con el toro,/ la atención del pájaro que pesca."

El agua es un elemento omnipresente. La autora disfruta enormemente de la lluvia, los lagos y mares, mismos que empapan sus letras.

Temas: Poesía. Agua. Naturaleza.

140

Flush

Woolf, Virginia
Trad. Elena Kúsulas Bastién
México: Textofilia, 2013.
Págs. 150

Elizabeth Barrett recibe de regalo a Flush, un spaniel que se convierte en su compañero inseparable durante épocas de enfermedad y desánimo. Entonces hace su aparición Robert Browning, para cambiar el mundo y la vida de la señorita Barret y por ende, también de Flush.

Homenaje de Virginia Woolf a una leal criatura; y de paso, un retrato de la vida y costumbres de la Inglaterra del siglo XIX.

Temas: Infancia. Vida cotidiana. Animales.

LOS GRANDES LECTORES

141

William Shakespeare
Hamlet

Shakespeare, William
Trad. Luis Astrana Marín
México: Santillana, 2013
Col. Alfaguara Juvenil
Págs. 208

Hamlet

Hamlet, príncipe de Dinamarca, confronta grandes dilemas ante el asesinato de su padre, cuyo fantasma se aparece para ayudarle a desenmascarar al culpable de su muerte.

Una de las tragedias más representativas del teatro de Shakespeare que ofrece al lector una visión de la sociedad de la época que sin duda ha permanecido en el tiempo. La presente edición culmina con un análisis detallado de la obra y la biografía del autor.

Temas: Teatro. Poder. Clásicos.

142

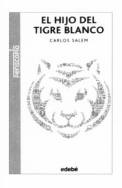

EL HIJO DEL
TIGRE BLANCO
CARLOS SALEM

edebé

Salem, Carlos
México: edebé, 2013
Págs. 160

El hijo del Tigre Blanco

Nahuel, tigre en mapuche, al cumplir trece años descubre, por una serie de acontecimientos inesperados, que su padre fue un emblemático ladrón de obras de arte. Ahora, al muchacho no le queda más remedio que enfrentar su destino.

Una novela detectivesca en la que gracias a varios chicos intrépidos se develan misterios, se consolida la justicia y se enaltece el valor.

Temas: Misterio. Detectives. Amistad.

LOS GRANDES LECTORES

143   La isla del rey muerto

Mourlevat, Jean Claude
Il. Darío Zárate Figueroa
Trad. Luis Esteban Pérez
Villanueva
México: Ediciones Castillo, 2014
Págs. 432

Aleksander y Brisco, dos inseparables hermanos gemelos, ignoran que en realidad no son hermanos de sangre y aunque sus amorosos padres han guardado el secreto por diez años, los orígenes de Brisco provocarán que la paz de Tierra Pequeña, isla donde impera la democracia, se derrumbe.

Una novela de un humanismo conmovedor en la que lo sublime se entrevera con lo más aberrante. Cada personaje, hasta el más peregrino, resulta difícil de olvidar.

Temas: Fraternidad. Redención. Lealtad.

---

144   La lluvia sabe por qué

Heredia, Maria Fernanda
México: Norma, 2014
Col. Zona Libre
Págs. 236

Lucía es acosada por sus compañeros debido a una foto que fue enviada por sus "amigas" al chico que le gusta; Antonio, desde que su madre se fue a España, vive con sus tíos soportando abusos psicológicos y físicos; Dos adolescentes solitarios y una tormenta une la vida de todos.

Novela cautivadora que trata el abuso y el acoso escolar en los adolescentes, ofreciendo una solución a esta problemática y, sobre todo, una esperanza.

Temas: Amor. Miedo. Adolescencia. Acoso escolar.

145

Mi señora, la reina maya

Tzak bu Ahau, gran señora de Lakamha, agoniza. Su dama de compañía desde la infancia, narra la vida de su reina: su origen y crecimiento en Ox Te Kuh, así como su unión con el príncipe Pakal y los sufrimientos de una vida marcada por la guerra con sus eternos adversarios.

Relato que combina elementos históricos y ficticios; la figura central: el misterioso personaje maya conocido como la Reina Roja.

Trueba Lara, José Luis
Il. Román Eguía Román
México: Editorial Santillana, 2013.
Col. Alfaguara. Serie Roja
Págs. 140

Temas: Pueblos originarios. Guerra.

146

La Migala

Un hombre que vive un amor imposible compra una migala, araña extremadamente ponzoñosa, para llevarla a su casa. El peligro latente lo lleva a vivir en un desasosiego infernal. Su vida depende de la voluntad del arácnido, sin embargo, la mordida letal podría aliviar su terrible soledad.

El prólogo, una invitadora puerta de entrada, y las sórdidas y hermosas ilustraciones, son dignos acompañantes de este enigmático relato.

Arreola, Juan José
Il. Gabriel Pacheco
México: La Caja de Cerillos Ediciones, 2013
Col. Ilustres
Págs. 32

Temas: Soledad. Desamor.

147

Mina

En el jardín, desde un lugar especial, Mina observa la noche, escucha a las aves y escribe todo sobre el mundo que la rodea. Día a día, Mina registra en un cuaderno las maravillas que la vida le presenta.

Una propuesta para estimular la escritura y enfatizar el sentido de las palabras como una práctica cotidiana libre, necesaria e ilimitada. Cuestionamiento a la rigidez que, en ocasiones, presenta la enseñanza escolarizada.

Almond, David
Trad. Luis Esteban Pérez
México: Ediciones Castillo, 2013
Págs. 256

Temas: Escritura. Libertad. Escuela.

148

El misterio del solitario

Hans Thomas viaja con su padre, rumbo a Atenas, en busca de su madre, quien los abandonó ocho años atrás. En el camino, un panadero le regala un libro diminuto escondido en un panecillo. Poco a poco, la historia narrada en el pequeño volumen irá entrelazándose con la vida del muchacho, con sus orígenes y su futuro.

Emoción y aventura llevan a un entrañable personaje al encuentro de sí mismo.

Gaarder, Jostein
Il. Pablo Álvarez Toledo
Trad. Kirsti Baggethun y
Asunción Lorenzo
Madrid: Siruela, 2009
Col. Las Tres Edades
Págs. 384

Temas: Filosofía. Relaciones familiares. Fantasía.

149

Morinia. Ciudad en la memoria

Lagos que devuelven el reflejo de recuerdos; frugales almuerzos que evocan inolvidables mañanas; la Biblioteca Babel proyectada por Borges; edificios, jardines y monumentos que toman las más caprichosas formas, dependiendo "la oscuridad o diafanidad de los pensamientos".

Guía de viaje a un lugar tan real o ficticio como el lector decida. ¿El transporte?, la mente dispuesta a recorrer los más oníricos lugares a través de las páginas de este libro.

Aguilera, Pati *et al.*
Il. Pati Aguilera.
México: Oink/ Conaculta/ Fonca, 2014
Col. Trotamundos
Págs. 64.

Temas: Fantasía. Recuerdos. Nostalgia.

150

Pequeños resquicios

"… Thelonius Monk/ no fue un monje/ lo acompañaron/ 2 mujeres/ como el blanco/ y el negro/ o el día/ y la noche/ con sus gatos aullando…"; "… los pájaros de Braque/ los pájaros de Nina/ son una misma alegría./ Georges Braque/ a los 82/ hace volar pájaros/ en sus grabados./ Nina/ a sus dos/vuela con sus pájaros pintados…"

La filosofía, la literatura, la música y la pintura: fuentes de las cuales abreva la autora para entregar esta serie de finas e intensas composiciones poéticas.

Favela Bustillo, Tania
México: Textofilia, 2013
Col. Lumia
Págs. 96

Temas: Poesía. Filosofía. Vida cotidiana.

LOS GRANDES LECTORES

151

Bodoc, Liliana
II. Gonzalo Kenny
México: Editorial Santillana, 2013
Col. Alfagura Juvenil
Págs. 152

El perro del peregrino

Siete cachorros son lanzados al lago Tiberíades. Uno de ellos, Miga de León, sobrevive cuando un galileo lo rescata y lo lleva con él a recorrer el camino hacia Jerusalem.

Un testigo fiel cuestiona, desde su punto de vista, el comportamiento humano que se le revela durante el peregrinaje de un hombre enfrentado a circunstancias adversas. La compasión, el temor, la venganza o la traición estarán presentes durante este sinuoso recorrido.

Temas: Amistad. Animales.

152

Cendrars, Blaise
II. Javier Zabala
Trad. Carlos Riccardo y Horacio Zabaljáuregui
México: FCE, 2013
Págs. 78

La prosa del Transiberiano y de la pequeña Juana de Francia

Blaise, un poeta vanguardista, relata una mezcla de historias reales e imaginarias de su vida: crónicas, biografía y memorias de Rusia; trenes, viajes, mujeres, guerra y el amor hacia su pequeña Juana.

Poema en gran formato, acompañado por ilustraciones estilizadas, una fusión que adentra al lector en los recuerdos del poeta, en las tristezas y alegrías; en los sentimientos más profundos de un ser humano.

Temas: Recuerdos. Guerra.

153

Un samurái ve el amanecer en Acapulco

Itakura no Goro, un reconocido samurái, tiene como misión cruzar todo lo ancho de la Nueva España para transportar prendas valiosas. En su camino se enfrenta a traiciones y saqueos al mismo tiempo que libra una batalla interior. Dolor y valentía, honor y redención, culminan con un atardecer en Acapulco, como telón de fondo.

Enrigue, Álvaro
Il. Sonia Pulido
México: La caja de Cerillos Ediciones, 2013
Col. Ilustres
Págs. 48

Una estructura distinta y misteriosa cuyos atributos se enaltecen con las enigmáticas ilustraciones que muestran la riqueza de la cultura mexicana y japonesa.

Temas: Honor. Valentía. Violencia.

154

Ser y seguir siendo

"Como la oveja que regresó a parir/ a la granja donde había nacido,/ algunas noches sueño que aún estoy en la casa/ donde vivió la persona que salió un día/ a ser quien soy ahora."

Compilación de poemas que, como fotografías, ofrecen escenas cotidianas, así como la relación que guardan con evocaciones, recuerdos, reflexiones y sentimientos. La autora deja patente todo lo anterior como un acto de liberación.

García Bergua, Alicia
México: Textofilia, 2013
Col. Lumia
Págs. 66

Temas: Poesía. Identidad.

155

Malpica, Antonio
México: Océano, 2012
Col. El lado obscuro
Págs. 314

Siete esqueletos decapitados

Sergio cursa la secundaria, toca la batería y es admirador de Led Zeppelin; un día comienza a recibir inquietantes mensajes en el chat. El teniente Guillén investiga una serie de asesinatos de niños en la ciudad de México sin obtener resultados, hasta que Sergio comienza a colaborar en las pesquisas.

Una novela que impacta por el alto contenido de terror que puede ocasionar en el lector. Integra exitosamente elementos policíacos y sobrenaturales.

Temas: Valentía. Suspenso. Magia.

156

Cárdenas, Erma
México: Textofilia, 2012
Col. Lumía
Págs. 136

Tiempos de culpa

Hendrik es un doctorando que vive con una rutina definida: taza de café con una cucharada de leche y dos de azúcar, tiempo establecido para estudiar... Sólo persigue el éxito. Mientras lo hace, Veba, una negra migrante en la Alemania moderna, toca a las puertas de su casa: "Limpio casa por comida y cuarto".

Una profunda e intensa introspección sobre el acercamiento y la empatía hacia los otros.

Temas: Migración. Amor.

157

Coissard, Sylvain
II. Alexis Lemoine
Trad. Luz María Bazaldúa
México: Océano Travesía, 2013
Págs. [46]

Las (¡verdaderas!) historias del arte

Al apreciar una pintura sólo se contempla un instante representado por el pintor, pero ¿qué habrá visto antes o después de terminada su obra?

Acercamiento al arte universal con un aporte original a través de ilustraciones chuscas que evocan posibles situaciones previas o posteriores al momento representado por el artista en la obra original. Una contraposición del arte contemporáneo frente a las técnicas clásicas que aporta nuevos significados.

Temas: Pintura. Humor. Arte.

158

Enzensberger, Hans Magnus
II. Rotraut Susanne Berner
Trad. Carlos Fortea
Madrid: Siruela, 2013
Col. Las Tres Edades/ Nos gusta saber
Págs. 260

INFORMATIVOS
El diablo de los números

Robert detesta la clase de Matemáticas pues no entiende nada. Una noche, empieza a soñar con el diablo de los números quien le presenta, de manera juguetona y sorprendente, los números primos y triangulares; los quebrados, la serie Fibonacci, y otros sistemas numéricos.

Interesante y muy divertido viaje en el que se aclaran cuestiones matemáticas que parecerían inaccesibles. Las ilustraciones, frescas y humorísticas, son claves para comprender los temas tratados.

Temas: Matemáticas. Números. Sueños.

LOS GRANDES LECTORES

159

Cruz Atienza, Víctor Manuel
Il. Juan Palomino
México: La Caja de Cerillos
Ediciones, 2013
Col. La ciencia Devuelta
Págs. 114

Los sismos, una amenaza cotidiana

¿Qué son los sismos? ¿Cómo y por qué se generan? ¿Cuál es la relación entre peligro, vulnerabilidad y riesgo en relación a los sismos? ¿Es posible prevenir la amenaza permanente de un terremoto? ¿Existe en México una adecuada cultura cívica respecto a la construcción de edificios y prevención de desastres?

Una obra completa, clara, actualizada y profusamente ilustrada sobre un fenómeno natural que afecta a gran parte de la humanidad.

Temas: Sismos. Prevención de desastres. Cultura cívica.

160

Ciancarullo, Flavio, Guillermo Fadanelli, Leonardo Tarifeño y Jorge Alderete.
Il. Jorge Alderete
México: La Caja de Cerillos
Ediciones, 2013
Págs. 162

Sonorama. Portadas y carteles del Dr. Alderete

Veinte años de ilustración y diseño, de carteles y cubiertas de CD realizadas en Argentina y México por Jorge Alderete.

Esta recopilación del trabajo del Dr. Alderete derivado de festivales de rock, sonideros en concierto o grupos de punk en "El Alicia" –foro de la Colonia Roma–, es una amplia muestra del diseño que rescata los iconos populares, la gráfica primigenia y un mundo nocturno lleno de personajes convertidos en leyenda urbana.

Temas: Arte. Diseño. Ilustración. Música.

INFORMACIÓN ADICIONAL

MAESTROS, PADRES DE FAMILIA, BIBLIOTECARIOS Y PROMOTORES DE LECTURA

161 Dentro del espejo

Molist, Pep
Barcelona: Editorial
GRAÓ, 2008
Serie didáctica de lengua
y literatura/ Comunidad
lectora
Págs. 192

"Basta con la voz de un narrador, ... un puñado de ilustraciones... (o) la lectura de un buen libro, para que una persona inicie su itinerario lector".

Estimulante guía de viaje a través de obras de literatura infantil y juvenil para acompañar a los niños que van creciendo. Las reflexiones incluidas abarcan la literatura y la vida, porque ambas "se reflejan una en otra. A menudo, son la misma cosa".

Temas: Estudio de la LIJ. Lectura. Promoción.

---

162 El juego como método para la enseñanza de la literatura a niños y jóvenes

EL JUEGO
COMO MÉTODO
PARA LA
ENSEÑANZA
DE LA
LITERATURA
A NIÑOS Y
JÓVENES

LUIS FERNANDO MACÍAS   ABC

Macías, Luis Fernando
Bogotá: Panamericana, 2013
Págs. 388

"Además de ser un juego de ritmo y sonido, la adivinanza es un pequeño misterio expresado en palabras, tan frágil y hermoso como un pétalo [...]"

Manual para la enseñanza de la literatura, guía en la formación de los educadores y libro de lectura para el hogar. Texto que describe, de manera detallada, conceptos de la literatura. También ofrece posibilidades para mezclar el aprendizaje con el juego en la casa o en la escuela.

Temas: Juegos. Enseñanza.

163 Estrategias de lectura

Solé, Isabel
Barcelona/ México: Editorial GRÁO, 2011
Págs. 254

La enseñanza de la lectura en el ámbito escolar requiere ser abordada desde un modelo interactivo para llegar a la comprensión y apropiación de los textos a través de la información, el apoyo y el aliento del maestro.

Una invitación para reflexionar, en un espacio entre la psicología y la enseñanza, sobre el aprendizaje de la lectoescritura en la escuela. Un libro que aporta herramientas útiles para los mediadores dentro y fuera del contexto escolar.

Temas: Promoción. Difusión.

164 Una infancia en el país de los libros

Petit, Michèle
Trad. Diana Luz Sánchez
México: Océano Travesía, 2008
Págs. 124

"Toda mi vida leí por curiosidad insaciable, para leerme a mí misma, para poner palabras sobre mis deseos, heridas o miedos; para transfigurar mis penas, construir un poco de sentido, salvar el pellejo."

Relato autobiográfico íntimo y honesto de los primeros veinte años de la autora y su relación libre y aventurera con los libros; una sincera exploración de las huellas que dejaron en ella ciertas imágenes y algunos relatos.

Temas: Lectura. Libros.

INFORMACIÓN ADICIONAL

165

Argüelles, Juan Domingo
Il. Irma Bastida Herrera
Toluca: Fondo Editorial del
Estado de México, 2012

La lectura. Elogio del libro y alabanza del placer de leer

"La lectura es el cuento de nunca acabar porque no tenemos que jugar a las carreras con nadie para demostrarle, y demostrarnos, que leemos más que ninguno"

Mucho se habla de la necesidad de formar lectores, Juan Domingo Argüelles desacraliza y humaniza los conceptos alrededor del acto de leer. Las abstractas ilustraciones que acompañan este texto, rompen con el arte convencional como rompe el autor con el discurso trillado e institucionalizado alrededor de la lectura.

Temas: Mediación. Lectura.

166

Sánchez García, Sandra y
Santiago Yubero Jiménez
Cuenca: Ediciones de la
Universidad de Castilla-La
Mancha, 2013
Págs. 288

La literatura de Fernando Alonso. Fantástica realidad

¿Quién es Fernando Alonso? ¿En qué contexto de la historia de la literatura española para niños se ubica su obra? ¿Cómo conviven realismo y fantasía en sus historias?

Estudio sobre la obra de un autor que, con ricos simbolismos e imágenes, marca una huella profunda en la literatura infantil. El texto es también un modelo para el análisis literario y una buena guía sobre los elementos que conviene considerar al realizarlo.

Temas: Literatura infantil española. Estudio de la LIJ.

167

Literatura Infantil y Juvenil y educación literaria. Hacia una nueva enseñanza de la literatura

"La LIJ es [...] literatura, sin [...] adjetivos de ningún tipo; si se le añade 'infantil' o 'juvenil' es por la necesidad de delimitar una época concreta de la vida [...] que, en literatura, está marcada por las capacidades de los destinatarios lectores..."

La literatura dirigida a niños y jóvenes debe integrar la formación académica de toda persona. Los profesores requieren conocimientos que permitan dotar a los alumnos de competencias lectoras y literarias.

Cerrillo, Pedro C.
Barcelona: Ediciones
OCTAEDRO, 2013
Págs. 190
Col. Recursos

Temas: Enseñanza. Estudio de la LIJ.

168

No soy un gángster, soy un promotor de lectura

"¿Por qué promover la lectura?" ¿Qué cambios "ocurren en nuestra alma y cerebro cuando somos tocados por ciertos libros"?

Testimonio provocativo y apasionante del proceso vivido por el autor para convertirse en promotor de lectura, en un ámbito en que la pobreza y la guerra son parte de la cotidianidad. Para él, la lectura no es un fin en sí misma, es un instrumento para generar solidaridad, conciencia, libertad, paz.

Yepes Osorio, Luis Bernardo
Bogotá: Panamericana
Editorial, 2013
Págs. 120

Temas: Promoción de lectura. Guerra. Bibliotecas.

INFORMACIÓN ADICIONAL

169 De raíces y sueños. 50 libros para niños y jóvenes de autores latinos de Estados Unidos

"La mejora de los hábitos lectores de una población empieza con la formación de sus ciudadanos como lectores literarios [...] los mediadores seleccionarán las lecturas sin caer en la fácil tentación de elegirlas por sus valores externos, sin considerar su historia o la manera en que están contadas"

Andricaín, Sergio, Pedro C. Cerrillo y Antonio Orlando Rodríguez
Cuenca: Ediciones de la Universidad de Castilla La Mancha/ CEPLI/ Cuatro Gatos, 2013
Págs. 72

Una selección de obras para niños y jóvenes hispanohablantes. Se enfoca en temas relacionados con la migración y el choque de culturas.

Temas: Migración. Promoción. Inclusión. Mediación.

---

121 La Villa de los Papiros

La única biblioteca del mundo antiguo que hoy se conoce fue descubierta en la ciudad romana de Herculano, sepultada por la erupción del Vesubio y oculta durante más de 1,600 años. Papiros con textos filosóficos y muchos otros hallazgos arqueológicos revelan la situación cultural y social en ese tiempo.

Iglesias-Zoido, J. Carlos, Laurentino García y García, Valeria Sampaolo, Ángeles Castellano, *et al.*
Trad. Carmen Artal y Fabrizio Ruggeri
Madrid/ Barcelona: Casa del Lector/ Planeta, 2013
Págs. 200

Edición impecable, erudita, para estudiosos de la historia de la lectura y escritura. Su lectura aporta amplios conocimientos a los mediadores.

Temas: Historia. Escritura. Bibliotecas.

Premios internacionales

Los premios internacionales promueven y estimulan a los creadores a seguir ideando mundos que recreen la experiencia de los niños, que exploren su imaginación, que los inviten a la fantasía. Son dos los más importantes premios para autores e ilustradores que se otorgan actualmente, el *Hans Christian Andersen Award* y el *Astrid Lindgren Memorial Award*. A ellos se suman cada vez más iniciativas específicas que fomentan y reconocen el trabajo de calidad para niños y jóvenes, como los recientemente lanzados *Premio Hispanoamericano de Poesía para Niños* y el *Premio Iberoamericano de Literatura Infantil y Juvenil Ediciones SM.*

Premio Hans Christian Andersen

IBBY Internacional otorga el *Hans Christian Andersen Award*, desde 1956 a un autor y desde 1966 a un ilustrador vivos, por el mérito que su obra ha reunido para hacer una contribución duradera a la literatura infantil. Éste es, actualmente, el mayor reconocimiento que se otorga a un autor o ilustrador de libros infantiles. Su Majestad la Reina Margarita II de Dinamarca es la Patrona de los premios Andersen.

Las secciones nacionales de IBBY nominan a los candidatos y los ganadores son seleccionados por un distinguido jurado internacional de especialistas en literatura infantil.

Los premios, que consisten en una medalla y un diploma, son entregados durante el Congreso Bienal de IBBY.

AÑO	AUTORES	ILUSTRADORES
1956	Eleanor Farjeon (Reino Unido)	
1958	Astrid Lindgren (Suecia)	
1960	Erich Kästner (Alemania)	
1962	Meindert DeJong (EUA)	
1964	René Guillot (Francia)	
1966	Tove Jansson (Finlandia)	Alois Carigiet (Suiza)
1968	James Krüss (Alemania)	Jirí Trnka (Checoslovaquia)
	José María Sánchez-Silva (España)	
1970	Gianni Rodari (Italia)	Maurice Sendak (EUA)
1972	Scott O'Dell (EUA)	Ib Spang Olsen (Dinamarca)
1974	Maria Gripe (Suecia)	Farshid Mesghali (Irán)
1976	Cecil Bødker (Dinamarca)	Tatjana Mawrina (URSS)
1978	Paula Fox (EUA)	Svend Otto S. (Denmark)
1980	Bohumil Riha (Checoslovaquia)	Suekichi Akaba (Japón)
1982	Lygia Bojunga Nunes (Brasil)	Zbigniew Rychlicki (Polonia)
1984	Christine Nöstlinger (Austria)	Mitsumasa Anno (Japón)
1986	Patricia Wrightson (Australia)	Robert Ingpen (Australia)
1988	Annie M. G. Schmidt (Países Bajos)	Dusan Kállay (Checoslovaquia)
1990	Tormod Haugen (Noruega)	Lisbeth Zwerger (Austria)
1992	Virginia Hamilton (EUA)	Kveta Pacovská (República Checa)
1994	Michio Mado (Japón)	Jörg Müller (Switzerland)
1996	Uri Orlev (Israel)	Klaus Ensikat (Alemania)
1998	Katherine Paterson (EUA)	Tomi Ungerer (Francia)
2000	Ana Maria Machado (Brasil)	Anthony Browne (Reino Unido)
2002	Aidan Chambers (Reino Unido)	Quentin Blake (Reino Unido)
2004	Martin Waddell (Irlanda)	Max Velthuijs (Países Bajos)
2006	Margaret Mahy (Nueva Zelanda)	Wolf Erlbruch (Alemania)
2008	Jürg Schubiger (Suiza)	Roberto Inocenti (Italia)
2010	David Almond (Reino Unido)	Jutta Bauer (Alemania)
2012	María Teresa Andruetto (Argentina)	Peter Sís (República Checa)
2014	Nahoko Uehashi (Japón)	Roger Mello (Brasil)

Lista de Honor de IBBY

La Lista de Honor de IBBY es una selección bienal de libros notables recientemente publicados, que honra a autores, ilustradores y traductores de los países integrantes de IBBY. Ésta es una de las maneras más amplias y efectivas de conseguir el objetivo de IBBY de promover la comprensión internacional a través de la literatura infantil.

Los títulos son seleccionados por las secciones nacionales, que pueden nominar un libro para cada una de las tres categorías. Una consideración importante para seleccionar los títulos de la Lista de Honor es que éstos sean representativos de la mejor literatura infantil del país y que sean adecuados para publicarse alrededor del mundo. La lista propone una visión de la diversidad cultural y política, y de los entornos sociales en los que los niños viven y crecen, y puede ser utilizada por todos aquellos involucrados con el desarrollo de programas de alfabetización y educación, así como por iniciativas de publicación para desarrollar colecciones internacionales ejemplares.

AÑO	TÍTULO	NOMINADOS	CONCEPTO
1982	Los cuentos del Tio Patotas	Eduardo Robles Boza	Escritor
1984	La vieja que comía gente	Francisco Hinojosa	Escritor
	Tajín y los siete truenos	Pedro Bayona	Ilustrador
1986	Pájaros en la cabeza	Laura Fernández	Escritor
	Julieta y su caja de colores	Carlos Pellicer López	Ilustrador
1988	Cuentos de Pascuala	Teresa Castelló Iturbide	Escritor
	Un asalto mayúsculo	Felipe Dávalos	Ilustrador
1990	No era el único Noé	Magolo Cárdenas	Escritor
	El profesor Zíper y la fabulosa guitarra eléctrica	Juan Villoro	Escritor
1994	El mar y la costa	Bruno González	Ilustrador
	Isaac Campion	Laura Emilia Pacheco	Traductor
1996	También los insectos son perfectos	Alberto Blanco	Escritor
	Las cabritas de Martín	Carmen Cardemil	Ilustrador
	El zurcidor del tiempo	Alicia Molina	Escritor
1998	Las mareas	Claudia de Teresa	Ilustrador
	El libro apestoso	Francisco Segovia	Traductor
2000	Los cuatro amigos de siempre	Gilberto Rendón Ortiz	Escritor
	El morralito de Ocelote	Fabricio Vanden Broek	Ilustrador
	Willy el mago	Carmen Esteva	Traductor
2004	Lección de piano	Felipe Garrido	Escritor
	Desde la enredadera	Juan Gedovius	Ilustrador
2006	Un hombre de mar	Manuel Monroy	Ilustrador
	Horas de vuelo	Eraclio Zepeda	Escritor
	Marte y las princesas voladoras	María Baranda	Escritor
2008	Primavera	Manuel Marín	Ilustrador
	Monstruos enfermos	María Cristina Vargas	Traductor
2010	¡Hay naranjas, hay limones!	Fernando del Paso	Escritor
	Acertijero	Alejandro Magallanes	Ilustrador
2012	Muchas gracias, Señor Tchaikovsky	Mónica B. Brozón	Escritor
	Tache al tache	Carmina Hernández	Ilustrador
	Loba	Verónica Murguía	Autor
2014	Zezolla	Richard Zela	Ilustrador
	El llamado del mar	Diana Luz Sánchez	Traductor

Premio Astrid Lindgren

A la muerte de Astrid Lindgren en 2002, el gobierno sueco decidió fundar un premio anual de 5 millones de coronas para honrar su memoria y para despertar el interés internacional por la literatura infantil y juvenil y, de esa forma, fomentar en un contexto global los derechos del niño en los campos de la lectura y de la cultura.

El premio puede concederse a autores, ilustradores y fomentadores de la lectura. La obra de los laureados ha de ser, tal como se indica en el decreto del gobierno sueco, "del máximo valor artístico".

GANADORES

2003	Christine Nöstlinger (Austria)
	Maurice Sendak (EUA)
2004	Lygia Bojunga (Brasil)
2005	Ryôji Arai (Japón)
	Philip Pullman (Reino Unido)
2006	Katherine Paterson (EUA)
2007	Banco del Libro (Venezuela)
2008	Sonya Hartnett (Australia)
2009	Tamer Institute of Comunity Education (Palestina)
2010	Kitty Crowther (Bélgica)
2011	Shaun Tan (Australia)
2012	Guus Kuijer (Países Bajos)
2014	Barbro Lindgren (Suecia)

INFORMACIÓN ADICIONAL

Un acercamiento al panorama de la Literatura Infantil y Juvenil en México

Desde hace varios años se celebra el inicio de la producción de Literatura Infantil y Juvenil en nuestro país que se ocupa de temas que ya no están exclusiva y crucialmente enfocados al adoctrinamiento y la supuesta comprensión del estereotipo de ser niño. Gracias al impulso y el trabajo que las casa editoriales han llevado a cabo junto con los autores, los libros –incluso aquellos dirigidos a los más pequeños–, se han acercado efectivamente a la experiencia vital de los lectores, a pesar del continuo cambio que ésta vive.

La producción libresca se han transformado apelando a la universalidad. En particular aquélla dirigida a tener los primeros acercamientos, pues los volúmenes dedicados únicamente al desarrollo de las habilidades motrices y la familiaridad con el objeto, cada vez proponen más alternativas novedosas y originales, mientras que los que tratan temas como el autoconocimiento, gradualmente apuestan por situaciones más arriesgadas sin reproducir esquemas elementales u ordinarios.

Sin embargo, la literatura se sigue considerando, en primera instancia, una parte esencial de la educación más por sus supuestos beneficios en el largo plazo que por el más profundo: contribuir a la construcción de personas críticas y autónomas, dueñas de sus decisiones. Sin embargo, los libros a los cuales es posible acercarse no sólo desde la escuela, exponen de maneras cada vez más sensibles y efectivas las posibilidades de una realidad en la que se ven inmersos sus lectores, sobre todo cuando la pugna y las vicisitudes están a la orden del día en todo el mundo.

Con respecto a los temas específicos, se ha hecho evidente, durante los últimos años, el acercamiento a problemas contemporáneos como el abuso escolar. A propósito han surgido libros cuya preocupación es la voz interior del personaje, pues aunque éste no haya sido violentado directamente, los personajes y la trama ya sugieren una serie de escenas relacionadas que se abordan desde múltiples arista y ello, consideramos, permite que los lectores accedan a otras posibles realidades y, por ende, a nuevas soluciones. Sobre todo si la búsqueda que se emprende a partir de la lectura es la de uno mismo.

Así, textos de diversas editoriales nacionales se abocan a consolidar una nueva figura de héroe, aquél libre de discriminación y ávido de justicia; el que sin dejar de temer, abre paso a todas las posibilidades de salvarse, salvar y también ser salvado –si el caso lo amerita–. La redención proviene del triunfo de esas características: la libertad, la prevalencia de la justicia y, sobre todo, el aprendizaje del valor que confiere reconocerse. Eso que Alberto Manguel llama en "Como aprendió a leer Pinocho": "[....] esta búsqueda necesaria de lo arduo, este ganar experiencia".

Y no es que se afirme que es estas construcciones no se hayan realizado antes, sino que en la nueva producción se han erigido de maneras novedosas, entrañables y con códigos actuales.

Por otro lado, es evidente la diversificación en los temas que trata la LIJ. Un caso sobresaliente de ello es el acercamiento a textos de la literatura mexicana de los siglos XIX y XX, pues no sólo se ha pugnado por seleccionarlos y extraerlos de las ediciones especializadas, en muchos casos, sino por presentarlos de manera que les resulten afines a los jóvenes: profusamente ilustrados o con guardas llamativas e incitantes, lo cual consolida, desde muchos puntos de vista, la intención de promover no sólo una parte importante de la tradición escrita, sino el seguimiento de un precepto insoslayable: la literatura lo es sin adjetivos.

A ello se suman una serie de antologías que se han publicado desde hace algunos años en las cuales se leen textos de autores mexicanos que se ocupan de sucesos contemporáneos: el fin del mundo, el humor negro, el terror, la fantasía, las convenciones y etiquetas en las redes sociales, etc. Todos ellos son abordados con una escritura desenfadada que apela a los preceptos universales, característica que no sólo permite el acercamiento de los jóvenes sino también de los adultos, tanto los que se encuentran cercanos a ello como los que no.

Estas narraciones también retratan las calles del Centro Histórico y otros lugares emblemáticos de la Ciudad de México para construir sus escenarios. De esta forma, los lugares logran transformarse con referentes actuales que formarán parte del nuevo imaginario colectivo para así, eventualmente, reinventar el legado de la cultura popular. En este orden de ideas, se apuesta a conferir una nueva identidad a la lucha libre, la Revolución mexicana o los mitos y personajes prehispánicos, por mencionar algunos ejemplos.

INFORMACIÓN ADICIONAL

Por otro lado, en los últimos años se ha percibido un interés notable al respecto de la difusión de la cultura musical, tanto la mundial como la nacional. Esta inquietud enriquece, por supuesto, las posibilidades de apreciar profundamente esta rama de las bellas artes, pero también se ha acercado a consolidar otra posibilidad: la de los libros que se acompañan de una referencia externa. En este caso, de un disco.

El rescate de la tradición oral del país también ha sido preponderante y se ha mostrado en atractivas, documentadas y entrañables propuestas editoriales. La riqueza de su contenido evidencia la fantástica posibilidad de que los lectores se acerquen de otra manera al folclor del país.

Finalmente, nos ha sobrecogido la producción de libros que rescatan de maneras bellas y singulares la tradición y cosmovisión de los pueblos originarios a través de temáticas tan diversas como entrañables: las adivinanzas, la música, los sueños, la comida típica, etc. Los editores apuestan no sólo a generar cercanía con sus códigos sociales, sino con su lenguaje.

Gracias a todas esta diversidad y especialización en cuanto a la producción editorial, así como a las iniciativas de las instancias que trabajan para alcanzarlo, se ha apostado, con éxito y constancia, a que el libro se vuelva, para el lector, de algún modo y de todas maneras, algo profundamente suyo.

Comité Lector
IBBY México/ A leer

Directorio de editoriales y distribuidoras

Alfaguara, Aguilar, Altea, Taurus
Distribuido por Grupo Santillana
Av. Río Mixcoac 274
Col. Acacias
03240 México D. F.
Tel.: 54 20 75 30
www.santillana.com.mx

Artes de México y del Mundo
Córdoba 69
Col. Roma
06700 México D. F.
Tel.: 55 25 40 36; 5525
5905; 5208 3684
Fax: 55 25 59 25
E-mail: artesmex@internet.com.mx
artesdemexico@artesdemexico.com
www.artesdemexico.com

Barbara Fiore
Distribuido por Colofón

C. E. L. T. A. Amaquemecan
Magisterio Nacional 147,
Centro, Tlalpan
14000, México. D.F.
Tel.: (55) 55 73 79 00
Fax: 55 73 70 25
hugobrown@prodigy.net.mx

Callis Niños
Libros para Soñar
Campeche 228-2
Col. Hipodromo Condesa
06140 México D.F.
Tel.: 5264 7481
www.librosparasonar.com.mx

Castillo, Ediciones
Insurgentes Sur 1886
Col. Florida
01030 México, D. F.
Tel.: 01 800 536 1777
E-mail: info@edicionescastillo.com
www.edicionescastillo.com

CIDCLI
Av. México 145, PH 601
Col. Coyoacán
04100 México D. F.
Tel.: 56 59 75 24
Fax: 56 59 31 86
E-mail: elisa@cidcli.com.mx
www.cidcli.com.mx

CIESAS
Centro de Investigación y
Estudios Superiores en
Antropología Social
Juárez 87, Tlalpan
14000, México D.F.
Tel: (55) 54873600
www.ciesas.edu. mx

Colofón
Franz Halls 130,
Alfonso XIII, Álvaro Obregón
01460 México D. F.
Tel.: 5615 5041
Fax: 5615 5332
E- mail: colofon@prodigy.net.mx
www.colofon.com

INFORMACIÓN ADICIONAL

Consejo Nacional de Fomento Educativo
Av. Insurgentes Sur 421,
Conjunto Aristos, Edificio B
Col. Hipódromo
06100 México D. F.
Tel. y Fax: 52 41 74 00
www.conafe.gob.mx

Consejo Nacional para la Cultura y las Artes
Paseo de la Reforma 175, piso 1
Col. Cuauhtémoc
06500 México D. F.
Tel.: (55) 41 55 06 49
Fax: 41 55 06 60
www.cnca.gob.mx

Corimbo
Distribuido por Editorial Juventud

Los cuatro azules
Distribuido por Editorial Tecolote

edebé
Igancio Mariscal 8
Col. Tabacalera
06030 México, D. F
www.edebe.com.mx
(55) 55 357557

Ediciones del Lirio
(55) 5613 42 57
dellirio@edicionesdellirio.com.mx

El Naranjo
Av. México 570
Col. San Jerónimo Aculco
10400 México D. F.
Tels.: 56 52 91 12 / 56 52 67 69

www.edicioneselnaranjo.com.mx
E-mail: elnaranjo@
edicioneselnaranjo.com.mx

EMECE Mexicana
Distribuido por Grupo Planeta

Everest Mexicana
Calz. Ermita Iztapalapa 1681
Col. Barrio San Miguel
09360 México D. F.
Tels.: (55) 56 85 1906; 56
85 3515; 5685 34 91
Fax: 56 85 34 33

Factoría K de libros
Distibuido por Editorial Tecolote

Fernández Editores
Av. México Coyoacán 321
Col. Xoco
03330 México D. F.
Tel.: (55) 5090 77 00
Fax.: 50 90 77 84
E-mail: a_ramirez@
fernandezeditores.com.mx
www.fernandezeditores.com.mx

Fondo de Cultura Económica
Carretera Picacho Ajusco 227
Col. Bosques del Pedregal
14200 México D. F.
Tel.: 52 27 46 72
Fax: 54 49 18 25
www.fondodeculturaeconomica.com

Grupo Editorial Norma
Cultura Griega 55
Col. San Martín Xochinahuac
02120, México D.F.
Tels.: 26 26 55 00
www.norma.com

ideazapato
Distribuido por Editorial Tecolote

Juventud, Editorial
Herodoto 42
Col. Anzures
11590 México D. F.
Tels.: 52 03 97 49 / 52 34 47 62
Fax: 19 97 72 76
www.editorialjuventud.com.mx
juventud@editorialjuventud.com.mx

Kalandraka
Distribuido por Editorial Tecolote

La Caja de Cerillos Ediciones
Uxmal 392 A
Col. Narvarte
03020, México, D.F.
http://www.
lacajadecerillosediciones.com
contacto@
lacajadecerillosediciones.com

Larousse, Ediciones, S. A. de C. V.
Londres 247
Col. Juárez
06600 México D. F.
Tel.: 11 02 13 00
Fax: 52 08 62 25
E-mail: larousse@larousse.com.mx

Lectorum, Editorial
Centeno 79 – A
Col. Granjas Esmeralda, Iztapalapa
09810 México, D.F.
Tel.: 5581 32 02
Fax: 5646 68 92
ventas@lectorum.com.mx
www.lectorum.com.mx

Limusa, Editorial, S. A. de C. V.
Distribuido por Grupo
Noriega Editores
Balderas 95
Col. Centro
06040 México D. F.
Tels.: (55) 5130 07 00; 01 800
706 9100; 01 800 703 7500
Fax: 55 12 29 03; 5510 94 15
www.noriega.com.mx
E-mail: limusa@noriega.com.mx

Lumen, Editorial
Atenas 42 Planta Baja
Col. Juárez
06600 México D. F.
Tel.: 55 92 53 11
Fax: 55 92 55 40
E-mail: edilumex@prodigy.net.mx

McGraw Hill Interamericana Editores
Prol. Paseo de la Reforma
1015; Torre A, Piso 17.
Col. Santa Fé
01376, México D.F.
Tel.: 15 00 50 00
www.mcgraw-hill.com.mx

INFORMACIÓN ADICIONAL

Océano

Boulevard Manuel Ávila
Camacho 76 Piso 10
11000 México D. F.
Tels.: 9178 51 00
www.oceano.com.mx

Octaedro

Distribuido por Juventud, Editorial.

Petra Ediciones

Naciones Unidas 5507
Col. Jardines Universidad
45110 Zapopan, Jal.
Tel.: (01 33) 36 29 08 32
www.petraediciones.com
E-mail: petra@mail.ugd.mx

Progreso

Sabino 275
Col. Santa María la Ribera
06400 México D. F.
Tel.: 1946 06 20
www.editorialprogreso.com.mx

SM, Ediciones

Magdalena 211
Col. Del Valle
03100 México D. F.
Tel.: 10 87 84 00
Fax: 10 87 84 15
www.edicionessm.com.mx

Tecolote, Ediciones

José Ceballos 10
Col. San Miguel Chapultepec
11850 México D. F.
Tels.:52 72 81 39
Fax: 52 72 80 85
www.edicionestecolote.com

Directorio mínimo de librerías

Casa Juan Pablos
Malitzin 199
Col. Del Carmen Coyoacán
Tel. 56 59 02 52

Educal, Librerías
Red de librerías en la
República Mexicana
Av. Ceylán 450,
Col. Euzkadi
Tel.: 53 56 28 15
www.educal.com.mx

Fondo de Cultura Económica
Librerías en la República Mexicana
Carretera Picacho Ajusco 227,
Col. Bosques del Pedregal
Tel.: 52 27 46 82
www.fce.com.mx

Gandhi
Librerías en la República Mexicana
Miguel Ángel de Quevedo 134
Col. Chimalistac,
Tel.: 54 84 27 00
www.gandhi.com.mx

Nori
Félix Berenguer 106
Col. Virreyes Lomas de Chapultepec
Tel.: 5202 8985
Fax: 5202 8985
E-mail: libnori@hotmail.com

Pasaje Zócalo-Pino Suárez
40 locales de distintas editoriales,
Estaciones Zócalo y Pino Suárez,
Líneas 1 y 2 del Sistema de Transporte
Colectivo Metro, Ciudad de México

Porrúa
Librerías en la República Mexicana
República de Argentina 15
Col. Centro
Tel.: 5704 7578
www.porrua.com

El Sótano
Librerías en la Ciudad de México
Miguel Ángel de Quevedo 209
Col. Coyoacán
Tel.: 5 554-9833
www.elsotano.com

INFORMACIÓN ADICIONAL

Directorio mínimo de bibliotecas

Distrito Federal

Biblioteca de las Artes (CENART)
Río Churubusco #79,
Col. Country Club, Del. Coyoacán,
04220, México, D.F.
Tel.: (01 55) 41 55 00 00.
consultabib@conaculta.gob.mx
http://bibart.cenart.gob.mx/

Biblioteca de México
"José Vasconcelos" (Ciudadela)
Plaza de la Ciudadela No.4,
Col. Centro, Del. Cuauhtémoc,
06040, México, D.F.,
Tel.: (01 55) 41 55 08 30.
contactomexico@conaculta.gob.mx
www.bibliotecademexico.gob.mx/

Biblioteca Nacional de
México (UNAM)
Centro Cultural Universitario,
Ciudad Universitaria,
Del. Coyoacán,
04510, México, D. F.
Tel. 5622-6800 y 5622-6820
http://bnm.unam.mx/

Biblioteca Vasconcelos (Buenavista)
Eje 1 Norte s/n esq. Aldama,
Col. Buenavista,
Del. Cuauhtémoc
06350, México, D.F.,
Tel.: (01 55) 91 57 28 00
contactobvasconcelos@conaculta.gob.mx
www.bibliotecavasconcelos.gob.mx/

Jalisco

Biblioteca Pública Central Estatal
"Profr. Ramón García Ruiz"
González Ortega 679,
El Santuario (Sector
Hidalgo), El Santuario,
44200, Guadalajara, Jalisco
Tel.: (333) 614 86 17.
bpcejal@correo.conaculta.gob.mx

Biblioteca Pública del Estado
"Juan José Arreola"
Periférico Norte Manuel Gómez
Morín No. 1695, Colonia Belenes,
45100 Zapopan, Jalisco, México.
Teléfono (01 33) 3836
4530 y 3619 0480
www.bpej.udg.mx/

Nuevo León

Biblioteca Pública Central Estatal
"Fray Servando Teresa de Mier"
Zuazua 655 Sur PB entre José María
Coss y Allende
Centro (Macroplaza)
64000, Monterrey, Nuevo León
Tels.: (81) 20 20 92 37, 38 o 39.
bpcenl@conaculta.gob.mx

INFORMACIÓN ADICIONAL

Capilla Alfonsina Biblioteca Universitaria de la Universidad Autónoma de Nuevo León

Ciudad Universitaria,
66451, San Nicolás de los Garza,
Nuevo León
Tel. (81) 83 29 40 15.
cabuanl@mail.uanl.mx
www.capillaalfonsina.uanl.mx/index.html

Biblioteca Universitaria "Raúl Rangel Frías"

Av. Alfonso Reyes #4000 Nte.
Col Regina
64290, Monterrey, Nuevo León
Teléfono: (81) 83.29.40.90 Ext. 6522
www.dgb.uanl.mx/bibliotecas/burrf/

Oaxaca

BS Biblioteca infantil de Oaxaca

José López Alavez 1342,
barrio de Xochimilco.
Oaxaca, Oax. C.P. 68040.
Tel. (951) 502 6344, 502 6345.
www.bs.org.mx

BS Biblioteca Casa de la Cacica

San Pedro y San Pablo
Teposcolula, Oaxaca
bsteposcolula@gmail.com

Biblioteca Henestrosa

Calle del General Profirio Diaz 115,
Oaxaca Centro, C.P.68000.
Teléfono:01 951 516 9715
www.bibliotecahenestrosa.com/

Puebla

Biblioteca Histórica José María Lafragua

Av. Juan de Palafox y Mendoza No.407,
Centro Histórico, 72000, Puebla,
Puebla
Teléfono(222) 229.5500
www.lafragua.buap.mx/

Biblioteca Palafoxiana

5 Ote. #5, Altos, Col. Centro Histórico,
72000 , Puebla, Puebla
Tel: (222) 246.3186.
biblioteca.palafoxiana@puebla.gob.mx

INFORMACIÓN ADICIONAL

Imaginaria
Revista quincenal sobre literatura infantil y juvenil
Buenos Aires, Argentina
http://www.imaginaria.com.ar/

Babar
Revista de literatura infantil y juvenil
Valdemorrillo, España
http://revistababar.com/web/

Centro Internacional del Libro Infantil y Juvenil
Fundación Germán Sánchez Ruipérez
Documentación, investigación y cursos
Salamanca, España
http://www.fundaciongsr.es/fundacion/frames.htm

Centro de Estudios de Promoción de la Lectura y Literatura Infantil
Base de datos sobre promoción de la lectura y literatura infantil.
Agenda de actividades relacionadas con el tema.
Castilla, España
http://www.uclm.es/cepli/#

Biblioteca Virtual Miguel de Cervantes Saavedra
Biblioteca de las culturas hispánicas
Madrid, España
http://www.cervantesvirtual.com/index.shtml

IBBY Internacional
Trabajo de IBBY internacional, enlaces
a las secciones nacionales
Basilea, Suiza
http://www.ibby.org/

Biblioteca infantil digital
Biblioteca digital del Instituto Latinoamericano de
la Comunicación Educativa México
http://omega.ilce.edu.mx:3000/index2.html

Centro Virtual Cervantes
Instituto Cervantes de España
Madrid, España
http://cvc.cervantes.es/

Children's Books on line: the Rosetta Project
Biblioteca virtual de libros antiguos para niños
Estados Unidos
http://www.childrensbooksonline.org/

Banco del Libro de Venezuela
Cursos, reseñas e información para mediadores
Caracas, Venezuela
http://www.bancodellibro.org.ve/

Fundalectura
Base de datos de libros infantiles y juveniles
Bogotá, Colombia
http://www.fundalectura.org/

El ilustradero
Colectivo de ilustradores mexicanos
México, D.F
http://www.elilustradero.blogspot.com

La casa del árbol
Portal sobre literatura infantil y promoción de la lectura
Lima, Perú
http://i-elanor.typepad.com/casadelarbol/

Encuentos
Contenidos literarios infantiles para padres e hijos.
http://www.encuentos.com/

Índice por título

INFORMACIÓN ADICIONAL

Índice por autor

INFORMACIÓN ADICIONAL

INFORMACIÓN ADICIONAL

Índice por ilustrador

INFORMACIÓN ADICIONAL

INFORMACIÓN ADICIONAL

Índice por tema

INFORMACIÓN ADICIONAL

INFORMACIÓN ADICIONAL

La *Guía de Libros recomendados para niños y jóvenes 2015*, con un tiraje de 1500 ejemplares, se terminó de imprimir en el mes de septiembre de 2014 en los talleres de Gráfica, Creatividad y Diseño, S.A. de C.V., Av. Presidente Plutarco Elías Calles, núm. 1321-A, Col. Miravalle , Deleg. Benito Juárez, C.P. 03580, México, D.F. El cuidado de la edición estuvo a cargo de la Asociación para Leer, Escuchar, Escribir y Recrear, A. C.